IL Y A 13 MILLIARDS D'ANNÉES:
BIG-BANG
UNE HEURE PLUS TARD APPARAISSENT LES PREMIÈRES ONDES LUMINEUSES
A
B
IL Y A 700 MILLIONS D'ANNÉES SONT APPARUS LES 1ers ORGANISMES VIVANTS. IL Y A 200 MILLIONS D'ANNÉES, LES PREMIERS MAMMIFÈRES.
IL Y A 65 MILLIONS D'ANNÉES, LES DINOSAURES ONT DISPARU.
D'APRÈS LES MÉDECINS, MAMAN A ENCORE QUELQUES SEMAINES À VIVRE.

00 000 ANS
RD, DE LA
MMENCE À
RMER…
…300 000 ANS PLUS TARD ÉMERGENT LES PREMIÈRES ÉTOILES ET GALAXIES.
NOTRE SOLEIL EST NÉ IL Y A 5 MILLIARDS D'ANNÉES
PUIS, 500 000 ANS PLUS TARD, LA TERRE ET LA LUNE
IL Y A 3,8 MILLIONS D'ANNÉES, LA VIE EST
PPARUE SUR TERRE
LLIARDS
ANTES
IL Y A 700 000 ANS ONT VÉCU LES 1ers HOMMES S'EXPRIMANT DANS UNE LANGUE UN MINIMUM ARTICULÉE (SONS ÉQUIVALANT À 10 CONSONNES ET 3 VOYELLES).
LIONS
S
RGI
MMM!
L'HOMO SAPIENS A FAIT SON 1er PAS SUR LA TERRE IL Y A 600 000 ANS SEULEMENT.
IL Y A 5000 ANS, EN CHINE, LA 1ère GLACE EST PRODUITE.
CHAQUE ANNÉE, 30 000 ESPÈCES ANIMALES ET VÉGÉTALES DISPARAISSENT.
IL Y A 22 ans, MON PÈRE A SÉDUIT MA MÈRE AVEC UN TOUR DE
AGIE.

Finn-Ole Heinrich / Rán Flygenring

La vie de l'unique, l'étonnante, la spectaculaire, la miraculeuse Lara Schmitt - La fin de l'univers

FINN-OLE HEINRICH
RÁN FLYGENRING

La vie de

L'UNIQUE, L'ÉTONNANTE

LA SPECTACULAIRE,  LA MIRACULEUSE

LARA
SCHMITT

LA FIN DE L'UNIVERS

traduit de l'allemand par Isabelle Enderlein

EDITIONS
THIERRY
MAGNIER

MON POUCE ET LE SOLEIL

(OU: LA FIN DE L'UNIVERS)

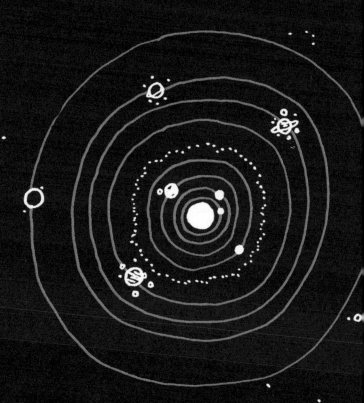

COMPARÉ AU FAIT QUE LE SOLEIL,
N'ARRÊTANT PAS DE GROSSIR,
VA UN JOUR EXPLOSER ET ENGLOUTIR
L'ENSEMBLE DE NOTRE SYSTÈME
SOLAIRE, ET QUE NOTRE UNIVERS VA
SE RÉDUIRE COMME PEAU DE CHAGRIN
À LA TAILLE D'UNE
TÊTE D'ÉPINGLE
QUELQUES MILLIARDS D'ANNÉES
PLUS TARD, MES PROBLÈMES
PEUVENT PARAÎTRE

TOTALEMENT DÉRISOIRES.

SAUF QUE MES PROBLÈMES
NE SONT PAS À DES MILLIARDS
D'ANNÉES DE DISTANCE, MAIS QU'ILS
ME PENDENT AU NEZ.

C'EST SANS DOUTE POUR ÇA
QU'ILS ME SEMBLENT AUSSI GIGANTESQUES
QU'UNE FIN DU MONDE.

C'EST UNE QUESTION
DE PERSPECTIVE :
QUAND, LE BRAS TENDU,
JE PLACE MON POUCE DEVANT
MON NEZ, IL EST AUSSI GROS
QUE LE SOLEIL.

Maman donne conférence. Cela signifie qu'elle est dans
sa chambre, couchée dans LE lit, et qu'elle se parle
à elle-même. Qu'elle tient son journal intime. Qu'elle rebat
les oreilles de l'appareil-enregistreur de mon père – appelez
ça comme vous voulez.
C'est mon père qui est chargé des enregistrements :
il gribouille les lettres qui doivent être écrites, télécharge
les enregistrements sur son ordinateur et les sauvegarde.
C'est son job. L'un de ses jobs. Je ne peux quand même pas
tout faire.
Assise à table, je prépare le muesli. Si je m'arrête
de bouger et que je tends l'oreille, je perçois la voix
assourdie de maman qui s'échappe doucement de la porte.
Un jour, tous ces enregistrements seront à moi, maman
l'a promis. Alors, je construirai une borne d'écoute.
Je m'emparerai du gros vieux fauteuil de Râlbanie
et le hisserai tant bien que mal dans mon grenier.

 GRENIER, LE : QUALIFIÉ DANS DES TEMPS RECULÉS,
DE «GRENIER-MUSÉE DES HORREURS», IL FUT COLONISÉ
ET REBAPTISÉ « RÂLDIVES» AVANT DE SE
TRANSFORMER EN « RÂLTROPOLIS ».

Puis je monterai la chaîne-stéréo de la cuisine et disposerai
les baffles sur deux piles de livres choisis parmi les préférés
de maman, à hauteur de tête exactement. Et là, j'écouterai
les enregistrements. Ma mère me parlera à plein tube, direct
dans les oreilles.

Placer le muesli au frigo. Mettre de l'eau à bouillir. Faire
la vaisselle. Ludmilla a arrosé les fleurs, sa soupe du jour
trône sur la cuisinière, il n'y a plus qu'à la réchauffer. Verser
le thé. L'eau bouillante clapote dans la petite théière bleue
bombée que je connais depuis toujours. C'est notre théière.
Si elle venait à m'échapper des mains et à se briser, je ne
sais pas si j'y survivrais. Si je m'en remettrais.
Toutes ces choses, c'est nous. Qui serais-je sans ces pots
de fleurs, sans ce sol en plastique qui me porte, sans
la sculpture de chewing-gums mâchonnés, posée dans notre
duché déchu de l'ex-Râlbanie, sur le frigo de la cuisine?

Si mon pouce était un soleil, alors ma vie serait un univers, et ma mère, Lars, papa, grand-père et Ludmilla seraient des galaxies. Il y aurait des trous noirs, comme la maladie, qui absorberaient et détruiraient tout, qui emmagasineraient de l'énergie pour faire les quatre cents coups avec. Il y aurait des soleils, des gros et des petits, des lumineux et des moins lumineux, comme notre commerce de glaces, l'école, les cours de soupe, les trouvailles, le business d'agent secret ou les virées avec chien et tortues. Et ces choses qui m'entourent – depuis Ralf, le fauteuil roulant, jusqu'à la vieille truelle collée sur le mur en Râlbanie, à côté des toilettes, qui sert de distributeur de PQ, en passant par les vieux pots de confiture de la cuisine dans lesquels on conserve toutes sortes de graines et de noix – ce seraient des planètes. Peut-être des mondes pourvus de vie. Une vie capable de se souvenir. Un souvenir vivant. Le thé répand une agréable odeur, la soupe mijote en dégageant de la vapeur, le minuteur tictaque. Chacune de ces choses me constitue. Nous constitue. Constitue mon univers et celui de maman. Qui sait combien de fois, jusqu'à présent, j'ai mis à la bouche une autre fourchette que l'une de nos fourchettes tordues? Qui sait à quel point j'adore nos serviettes de bain, duveteuses comme du sisal, caressant la peau avec la douceur de la laine d'acier? J'ai passé peu de nuits dans des draps non-râlbanais. Tout aurait été différent si, à la place du canapé, il y avait eu des chaises pliantes dans la cuisine de Râlbanie. Même un univers peut se briser, quand bien même mon cerveau est trop petit pour se figurer la chose.
Le minuteur cliquette.
La soupe gargouille.

Le téléphone sonne.

Le thé a fini d'infuser.

C'est Lars.

Il faudrait pouvoir tout sauvegarder, je me dis. La moindre miette. La moindre poussière dans les recoins et les fissures. Il faudrait que je puisse tout monter au grenier, tout sauver de l'oubli.

– B'soir ! fait Lars.

J'éteins la plaque, touille la soupe. J'aimerais fonder des archives, mieux : un musée. Rempli d'un stock de souvenirs pour le reste de ma vie. Comme un mulot stocke des glands de chêne pour l'hiver.

Je coince le combiné entre mon oreille et mon épaule.

– B'soir !

Je verse du miel dans le thé. C'est notre poussière. C'est nous qui l'avons produite. On la constitue en partie, et la poussière constitue une partie de nous.

– Je peux passer pour les devoirs ?

– Pas de problème, je dis.

– J'apporte quelque chose ?

– Non, c'est bon.

On raccroche. Je vais chercher un plateau, trois assiettes, des cuillères et des tasses. L'horloge indique dix-neuf heures quinze, timing parfait. Je dispose la vaisselle sur le plateau en me disant que ce n'est pas le moment de trébucher.

– Lara !

Maman m'appelle ! Je laisse tout en plan. Sors de la cuisine en courant, me hâte vers sa chambre. Poignée, ouverture de porte. La voilà, allongée, tout sourire, pouce levé.

– Lara, inspiration !

Elle me considère longuement, puis, d'une voix nasillarde, déclare d'un ton fervent :
– On va faire des crêpes qui puent à la confiture de framboises. Maintenant! Tout de suite!

POT DE FLEURS N°54

DISTRIBUTEUR DE PAPIER TOILETTE

SPATULE DE MAÇON

LES VIEILLES ASSIETTES À SOUPE TROP BIZARRES

APPAREIL ENREGIS-TREUR DE JURI

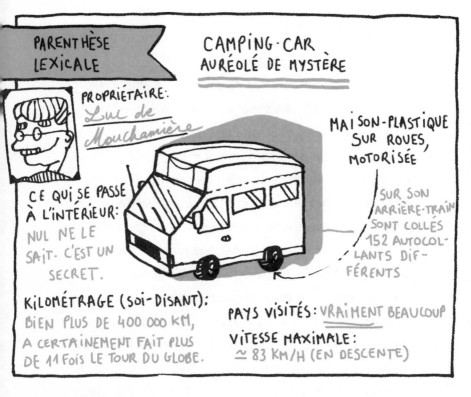

PARENTHÈSE LEXICALE

CAMPING-CAR AURÉOLÉ DE MYSTÈRE

PROPRIÉTAIRE: *Luc de Mouchamière*

MAISON-PLASTIQUE SUR ROUES, MOTORISÉE

CE QUI SE PASSE À L'INTÉRIEUR: NUL NE LE SAIT. C'EST UN SECRET.

SUR SON ARRIÈRE-TRAIN SONT COLLÉS 152 AUTOCOLLANTS DIFFÉRENTS

KILOMÉTRAGE (SOI-DISANT): BIEN PLUS DE 400 000 KM, A CERTAINEMENT FAIT PLUS DE 11 FOIS LE TOUR DU GLOBE.

PAYS VISITÉS: VRAIMENT BEAUCOUP

VITESSE MAXIMALE: ≃ 83 KM/H (EN DESCENTE)

– Bonjour!
Sourire malicieux aux lèvres, M. de Mouchamière s'assoit nonchalamment sur son bureau. Je dois avouer qu'au début, j'avais une dent contre Mouche. Il était d'une amabilité suspecte et d'une bonne humeur exagérée. Je le trouvais rasant, son numéro de cirque puéril. Et puis avec le temps, il s'est avéré que c'est vraiment un type bien. Vous pouvez aller le voir, il vous écoutera. Il comprend, ferme les yeux si nécessaire, fait confiance et ne passe pas son temps

à donner des leçons. En plus, franchement, c'est un bon prof. J'aime bien ses cours, on y apprend des tas de choses. Il explique super bien et il a de bonnes idées (je suis sûre qu'il les peaufine dans le mystérieux camping-car dans lequel il semble habiter). Il a des projets plein la tête, rapporte sans arrêt de nouveaux objets, articles ou livres qu'il veut nous faire découvrir.

Mouche ne se contente pas de palabrer : il agit. Prenez la réunion parents-profs, par exemple. L'avant-dernière, il l'a programmée à Château-Plastique. Il a rappliqué avec son camping-car dans notre rue, à Plastic-Land, a préparé des tonnes de Thermos de café et a convié les parents de la classe chez nous. Ils étaient là, à débattre dans notre jardin tout en dégustant les crêpes de mon grand-père. Comme ça, maman a pu assister à la réunion. C'est bien le genre de Mouche, cette initiative. D'ailleurs, son camping-car, il colle parfaitement à notre rue. C'est comme si Plastic-Land avait accouché d'un bébé. Donc, Mouche sourit, facétieux, répandant sa légère odeur de hamac. Il vit seul dans un caisson en plastique couleur saucisson, affublé de ses vêtements bariolés. Fignoleur et prof ambulant. Je ne comprends pas trop le concept, mais je l'aime bien, Mouche. Il est complètement jeté, d'une certaine manière, mais sur un mode vraiment positif.

– Vous avez révisé?

Un « Mouaisbofbiensûràpeuprès » se répand dans la salle.

– Parfait! fait-il avec un toussotement. À présent, vous allez m'écrire une lettre.

– Hein? fait Fabien Ruben, qui m'énerve déjà.

– Une lettre, confirme Mouche. Je souhaite que vous m'écriviez une lettre qui soit un peu comme votre journal de bord des six derniers mois.

– C'est ça, l'interro? insiste ce fayot de Fabien Ruben.

Lars me lance un sourire. Il n'est pas blanc comme un linge, ne tremble pas.

– À vrai dire, répond Mouche manifestement amusé par quelque chose, je n'ai pas encore décidé. Faites de votre mieux et on verra.

Copies blanches posées devant nous, trousses rangées en coin de table, stylos qui virevoltent entre le pouce et l'index.

– Le sujet, annonce Mouche en marquant une petite pause, c'est le récit de ce dernier semestre. Comment s'est passé votre hiver? Réfléchissez-y bien, rappelez-vous ce qui vous est arrivé et comment vous avez réagi. Depuis les vacances de la Toussaint jusqu'à aujourd'hui. Il vous faut réfléchir à vos propres vies, tout simplement.

– Comment ça? je lance à haute voix, ce qui sonne comme un hoquet.

– Racontez-moi juste ce qui vous est arrivé. Faites-en un petit résumé, puis proposez une réflexion sur ce que vous avez fait et pourquoi vous l'avez fait. Peut-être pourrez-vous identifier des moments forts et des moments plus difficiles. Ou réfléchir sur ce qui vous a changé au cours de ces six mois. Et pour finir, un coup d'œil sur les perspectives d'avenir : vers où voulez-vous aller, qu'attendez-vous des six prochains mois?

Du regard, il embrasse son auditoire avec des hochements de tête. Lars est bouche bée.

– On vous le raconte à vous, ou à quelqu'un d'autre?
demande quelqu'un.

– À moi, voyons! Écrivez-moi une lettre, j'adore recevoir
du courrier!

Il nous regarde une dernière fois avant de se lever
et de gagner la chaise derrière son bureau.

– C'est parti!

Il farfouille dans son sac. En sort une Thermos, se verse
du thé, ouvre son journal. Il relève encore la tête pour
préciser :

– Vous avez quatre-vingt-dix minutes!

Mon hiver en quatre-vingt-dix minutes! De la Toussaint
jusqu'à maintenant? Par où commencer?

J'écris, le bout de mon stylo-encre tapotant ma lèvre
inférieure.

*Tout ça, en fait, c'était l'idée de Lars. Ça a commencé avec la recette
de sa mère en Amérique, la glace pétillante – également appelée
Orâge Glacé. Lars s'est souvenu de cette recette secrète, et nous
avons fondé un commerce. Vous le savez de l'exposé de Lars, vous
vous en souvenez? Nous avons monté un atelier dans la cuisine
de mon grand-père. Depuis, nous sommes une entreprise de huit
employés, grand-père, Lars, moi, et mes cinq meilleurs amis de*

mon ancienne école. D'abord, nous avons fabriqué la glace à la main, au jour le jour, et l'avons vendue par la fenêtre de cuisine de mon grand-père. Ensuite, nous avons construit un mobil-glace. Vous le connaissez aussi. Il fait glacier mobile et véhicule de livraison en même temps. À présent, nous approvisionnons trois kiosques, une station-service, huit cafés, deux écoles primaires et deux maisons de retraite sur une base hebdomadaire. L'été, du moins. Nous avons acquis une sorbetière de Nouvelle-Zélande avec laquelle on peut produire jusqu'à cent litres de glace par jour. Nous remplissons des gobelets en carton et nous ravitaillons la moitié de la ville avec! Presque.

Je secoue la main, douloureuse à force de gratter, bois une gorgée d'eau. Il faudrait que j'aille aux toilettes, mais je n'ai pas le temps.

Nous avons une affaire, Lars, moi et les autres. Nous sommes des dealers de glace. Tout ça, en fait, c'était son idée, à Lars. C'est sa recette, et c'est aussi lui qui a baratiné mon grand-père pour qu'il ouvre son glacier. Et vous savez pourquoi il voulait le faire? Pour aider. M'aider moi. Aider ma mère. Parce que ma mère est malade. Vous le savez bien, tout le monde le sait. Ça se voit. La maladie détruit les nerfs, chaque jour davantage, jusqu'à ce qu'un jour, ma mère ne puisse plus bouger aucun muscle de son corps. C'est la raison pour laquelle Lars a eu l'idée d'acheter une trottinette électrique avec l'argent que nous gagnons. Ça ressemble à une mobylette, sauf qu'elle a trois roues et qu'elle marche sans essence. Elle ne fait pas de bruit et roule très vite. L'année dernière déjà, ma mère ne pouvait plus très bien marcher ; nous devions recevoir un fauteuil roulant électrique de la sécu, mais ça prenait des plombes, et Lars a déclaré que nous n'avions pas de temps à perdre. Ma mère est allée en cure pendant les grandes vacances ; pendant ce temps, Lars et moi, nous avons logé

six semaines dans le grenier de mon père – nos vacances
aux Râldives, qu'on a appelé ça. C'était vraiment chouette, en fait.
Nous avions tous les jours des trucs à faire, des semaines durant.
Du soleil, de la glace, une vraie équipe. Tout a marché comme
sur des roulettes.

... et l'automne dernier, quand ma mère est rentrée de cure,
elle allait bien, beaucoup mieux qu'avant. Elle pouvait à nouveau
marcher à peu près correctement, pas longtemps, mais sans
tomber. Elle pouvait à nouveau s'habiller seule, prendre sa douche,
aller aux toilettes. Elle n'avait plus le tournis, et elle n'était plus
aussi fatiguée. C'est à ce moment qu'on a vidé la caisse du glacier
pour acheter la trottinette (et Lars a eu l'idée de ne pas dire
à ma mère que c'était nous qui l'avions payée, pour ne pas risquer
de la mettre mal à l'aise). On pouvait refaire de petites excursions
– ma mère en tête, et nous courant à ses côtés. On pouvait aller
au parc manger des glaces et jeter du pain aux canards,
au marché aux puces, chez mon grand-père ; ma mère a pu visiter
notre atelier, on a organisé des concours de lancer d'avions
en papier. Et bien sûr, on a tous espéré que cet état durerait
éternellement, que la cure, comme par magie, avait gommé
la maladie.

Mais quelques semaines plus tard, ma mère a eu une nouvelle
poussée – et au cas où vous ne sauriez pas ce que c'est, une poussée :
c'est une vague déferlante de la maladie. Elle vous renverse
et vous emporte avec elle, vous abandonne sur la rive et part
rassembler ses forces pour la prochaine poussée. Le mot sonne
tout doux, comme la sensation que l'on éprouve quand on replace
un lourd tiroir dans une armoire. Mais ce n'est pas doux. Depuis
le vingt-deux septembre, ma mère passe le plus clair de son temps
alitée ; elle ne peut plus faire de trottinette. Et on attend toujours
le fauteuil électrique.

Sonnerie. Pause. La première heure est déjà passée. Mouche mâche en vitesse, déglutit, puis déclare, la main devant la bouche :
– Ceux qui doivent aller aux toilettes, allez-y un par un ; les autres, silence s'il vous plaît, continuez votre travail! Vous pouvez manger et boire si vous le désirez, mais sans déranger vos camarades!
Plus qu'une heure! Je n'y arriverai jamais. Du coin de l'œil, j'examine Lars ; il reste assis et gratte, gratte, gratte. La concentration en personne. On dirait un moine bouddhiste plongé dans sa prière, son stylo glisse, agile, sur le papier. Lars court avec des bottes de sept lieues : l'année dernière, il vomissait encore de nervosité ; à présent, il écrit comme on beurre une tartine : avec entrain, force et générosité.

Monsieur de Mouchamière, puis-je vous poser une question? Que feriez-vous à ma place? Vous savez : à la base, je voulais devenir agent secret, détective privée (je suis vraiment douée, d'ailleurs, j'ai déjà mené à bien différentes missions, on est déjà passés dans le journal, photo en sus!) Mais quand Lars a eu son idée, j'ai joué le jeu. Grâce à ça, on a pu acheter des choses pour ma mère, alors je me suis d'abord dit : je vais continuer, en plus du truc d'agent secret. Mais en réalité, ce n'est pas ainsi que ça marche, il va falloir que je me décide, n'est-ce pas ? Cette histoire de commerce de glace, je caresse l'idée de m'en retirer. J'ai besoin de toutes mes forces pour ma mère, pour lutter contre tout ce qui la handicape.

De la pointe de ma plume, je tapote le papier. Han-di-cape. Tap-tap-tap. Mon avant-bras se gonfle. Et là, entre mes oreilles, n'y aurait-il pas comme un sifflement ? Comme un picotement dans les genoux ? Handicap de merde. C'est la merde, d'être handicapé. De le devenir. Je regarde ma lettre de merde. À l'endroit où j'ai tapoté avec mon stylo, ça ressemble à une explosion miniature.

Vous voulez que je vous dise à quel point c'est naze, d'être handi-capé ? Le handicap, il est maté par les autres, il doit bien prévoir son coup à l'avance, évaluer les distances au mètre près, compter les marches, réserver des places, examiner les toilettes, planifier chaque pipi. Quand tu as cinq minutes de retard, le handicap devient immédiatement nerveux. Pourtant, le handicap est le type le plus flegmatique qui soit, tout prend des plombes avec lui, il se nourrit de marches, de lourdes portes, de hauts trottoirs. Le handicap renverse les verres et les tasses, se plante la four-chette dans la tronche, juste à côté de la bouche. Le handicap ne peut même pas se souvenir ce que c'est de sauter à pieds joints et se mettre à courir, de faire une descente éclair au kiosque pour s'acheter une glace. Le handicap se casse volontiers la gueule. Le handicap, c'est une princesse gâtée pourrie qui se fait servir du début à la fin, et quand il en a envie, le handicap, il ne se gêne pas pour piétiner la vie des autres et la réduire en miettes. Crash, bling et boum : sur ce terrain, le handicap est sans pitié aucune. Un vrai bulldozer.

Soudain, mon stylo-plume ne veut plus marcher. Plus d'encre? Oh non, pas maintenant! Opération changement de cartouche. Pas perdre de temps, comme un arrêt au stand en Formule 1, un ballet de mouvements parfaitement coordonnés, clic, vloup, on tourne, et puis on reprend :

Le handicap est un tout, toujours à l'honneur. Le handicap est un atout, poussez-vous s'il vous plaît, le handicap veut passer. Le handicap a toujours droit à sa saucisse supplémentaire ; faut toujours lui acheter un truc pour le distraire de lui-même. Voilà comme il est débile, le handicap. Rien qu'au mot ça s'entend. Mot handicapé de merde.

On peut écrire ça, dans une rédaction? M'est bien égal. C'est la vérité, après tout.

Lars revisse le bouchon de son stylo, ferme son cahier et se lève. Il se tourne vers moi, hoche la tête avec un sourire jaune qui brille comme un coucher de soleil et m'aveugle presque, puis il se dirige vers le bureau de Mouche et y jette son cahier avec désinvolture. Et s'en va. Je contemple la porte derrière laquelle il vient de disparaître, puis me concentre à nouveau sur mon cahier. Pas perdre de temps.

Et puis il y a cette histoire avec mon père. L'été dernier, j'ai pris possession du grenier qui surplombe l'appartement dans lequel j'habitais avant, et je l'ai transformé en Râltropolis. Parfois, en cas d'urgence, j'y passe la nuit, j'y ai quelques matelas, couvertures et oreillers. Pas plus : après tout, je vis toujours chez ma mère ; je ne dors que de temps à autre dans le grenier, chez mon père et sa nouvelle famille. Mon père a en effet levé une étudiante en biologie qui pratique le judo et répond au nom de Lucy de Kleijn,

pseudonyme LdK ; pour faire plus simple on l'appelle le flamant
rose, c'est ce qui la décrit le mieux. Et en bas, dans le jardin,
j'ai planté soixante-deux herbes médicinales avec l'aide d'une
amie, Ludmilla, qui s'y connaît très bien – peut-être ces plantes
pourront-elles un peu aider ma mère? C'est la raison pour laquelle
je prends des cours auprès de cette amie et que je lis beaucoup
de livres sur les herbes.
Toujours est-il qu'en février, j'ai eu des petits frères, des jumeaux.
Ce sont de drôles de petits bonshommes aux boucles sombres
et aux yeux verts. Mais pour être honnête : une sœur, pour
commencer, ça m'aurait suffi.

Mouche replie son journal, achève sa tasse de thé, se lève,
s'étire.
– Il vous reste cinq minutes! annonce-t-il.
Il s'ébroue avec félicité et commence à faire les cent pas
entre le tableau et son bureau.

Mes frères s'appellent Théo et Ron. Malheureusement, depuis
quelques semaines, je n'ai plus le droit de les approcher ;
le flamant rose m'épie comme un vautour et attend que je commette
une erreur. Elle prétend que j'ai perpétré un attentat sur
mes frères. Il y a bien trois semaines de ça, comme je m'occupais
d'eux, Ron est en effet tombé du canapé, il s'est fait mal à la tête
et a pleuré. Assez longtemps et assez fort (c'est bien mon frère,
un vrai râleur).

Ça sonne.

– OK, fait Mouche, remettez les copies.

Je termine encore mon paragraphe :

*Ron a pleuré si longtemps et si fort que le flamant rose l'a emmené
à l'hôpital. Il n'avait rien du tout, bien sûr, mais elle n'a pas arrêté
de chialer et de crier : « Et si maintenant Ron… » Oui, si ? Si, si, si.
Qu'est-ce qui se passe alors ?*

– Oui, qu'est-ce qui se passe alors ? dis-je à voix haute.

Et puis je vois Mouche près de moi ; son doigt me tapote
l'épaule.

– Ta copie.

Chapitre 3

LA FAMILLE DE L'ANNÉE

Le grenier. Papa installé près de moi sur le parquet usé et me montrant la machine à chocolat. C'est le vieux tour de passe-passe grâce auquel, il y a vingt-deux ans et demi de ça, il a séduit ma mère. L'a émerveillée. Ensorcelée.

– C'est ici qu'il faut couper. Le mieux, c'est de fendiller la tablette par derrière, tout doucement. Faut de l'entraînement.

Son regard est concentré. Il est parfaitement sérieux quand il coupe du chocolat.

– Ça se casse facilement, une tablette comme ça, j'ai bien dû en démolir une centaine...

Quand je demande à maman à quel moment elle est tombée amoureuse de Juri, elle me raconte ce tour.

– Entre la deuxième et la troisième barre, tu graves des pointillés au niveau des bords, et tu traces une ligne droite en diagonale de la tablette.

Il fait comme s'il m'apprenait la lecture ou les pourcentages, alors qu'il s'agit d'un tour plutôt minable qui permet soi-disant de produire une quantité infinie de chocolat.

Maman dit qu'à l'époque, quand Juri le lui a présenté, avec les yeux pétillants de celui qui a résolu les problèmes du monde, c'en était fait d'elle. Elle était transportée par sa manière de rompre le chocolat, avec précaution et tendresse. Comme il était près d'elle, accroupi, plongé dans l'exécution de son tour, elle a senti une douce chaleur se répandre dans son ventre. Juri gravait, brisait, poussait, gagné lui aussi par une sorte d'effervescence, les doigts

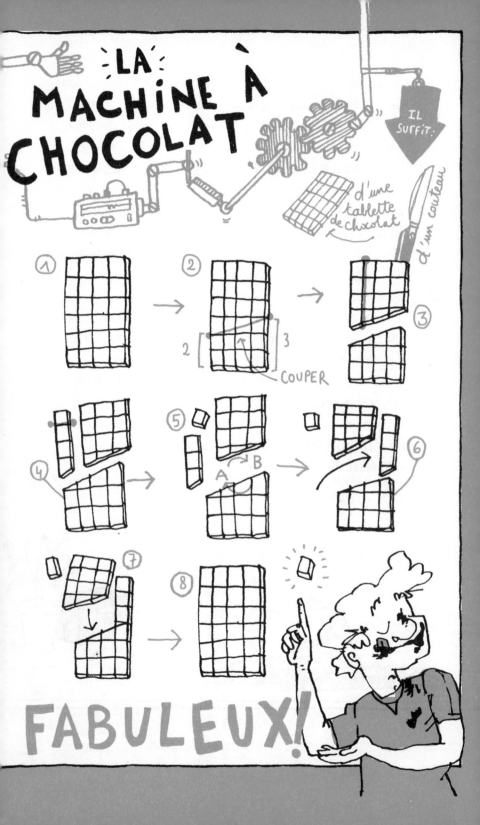

rougis par la fébrilité. Le chocolat s'est mis à fondre, salissant le bout de ses doigts qu'il a alors essuyés (comme tout ce qui lui colle aux doigts) dans ses boucles de cheveux.
C'est ainsi que l'histoire entre mes parents a commencé.
Ma mère avait huit ans, mon père dix, plus jeunes que moi tous les deux. Destinés, promis l'un à l'autre depuis ce jour. Tout était planifié, au moins jusqu'à la fin de l'univers.
Je peux comprendre maman – un homme disposant d'un don aussi génialement pratique, c'est du solide. Faire apparaître du chocolat par enchantement! Tellement d'hommes ne savent même pas se laver les dents correctement.
Juri en pleine démonstration, la tablette de chocolat posée sur du papier alu crépitant. Il la soulève avec précaution, des deux mains, et la brise en deux comme on retire le bouchon d'un stylo-plume de grande valeur. Un bruit comme un petit pois plongeant dans un verre d'eau – gloup. Il pose les deux moitiés devant lui, rompt une barre, puis un carré qu'il enfonce dans sa bouche.
– Abracadabra!

Ensuite, il rassemble les trois morceaux restants pour reformer une tablette. Elle est complète.

Au-dessous, les jumeaux se remettent à brailler.

– D'où tu le connais, ce truc?

– C'est mon père qui me l'a montré, ta grand-mère l'a séduit avec, à l'époque... Un vieux truc islandais de magie amoureuse. Utilise-le à bon escient!

Il se relève avec un petit sourire, se penche vers moi et me prend dans ses bras. J'entends des braillements de bébé et son rire saccadé, sens son odeur de cire, de roquette et de doigts chocolatés. Il emprunte l'échelle pour redescendre dans mon vieux duché ; je reste assise, attentive au bruit de ses pas qui s'éloignent. La porte de l'appartement, sa voix, les pleurs, puis un jacassement d'oiseau rose :

– Théo, hé! Ça suffit, maintenant! Je suis là!

Juri siffle, fredonnant une mélodie que je ne perçois qu'en m'allongeant et en pressant mon oreille contre le dur parquet des Râldives. Puis il se met à chanter. Je l'imagine, tenant un nain dans chaque bras, les grosses têtes noires blotties dans ses grandes pattes, et dansant d'une jambe sur l'autre, chantant des chansons plus ou moins drôles, du chocolat plein les boucles. J'entends son chant recouvrir peu à peu leurs pleurs, étouffant leur braillement et leur colère de bébés jusqu'à la faire taire et à la transformer en gargouillement satisfait. J'entends le flamant rose s'activer aux casseroles cliquetantes, à travers le vieux bois du plancher, entre mon ancienne et leur nouvelle vie.

Ils seraient la famille de l'année, je me dis. Jeunes, amoureux, de beaux bébés en bonne santé, des petits gars en pack de deux. Ils sont tellement heureux, s'entendent tellement bien. Ils maîtrisent la situation, se partagent les tâches, cuisinent de bons petits plats, font du pain complet aux noisettes le week-end. Ils n'en ont pas marre, ils s'embrassent en promenant leurs jumeaux en poussette dans le soleil de l'été, ils s'assoient avec eux au jardin ou sur un banc de square, ils sont joyeux et tendres, juste en manque de grasse matinée de temps à autre. Le jardin verdit et fleurit, les voisins les saluent poliment, les hirondelles devant la fenêtre font comme s'il ne s'était rien passé, comme s'il n'y avait pas un sacré hic là-dedans : l'homme de cette famille de l'année, il a en réalité déjà une famille, une femme et une fille.

Lunettes à moustache (cf Tome 2, p 167)

Chapitre 4
DU MIEL À L'INFINI

Avec son bleu de travail et son bonnet, le colonel paraît dix
ans de moins. Mains posées sur sa canne, il laisse son regard
vagabonder dans sa cuisine. Basil et Lars déballent la glace
des congélateurs pour la charger dans le mobil-glace. Louise
remplit des gobelets d'Orâge Glacé que Pitt scelle et range au
congélateur. Julius appose les adresses sur les commandes.
– Comme dans une fourmilière, déclare le colonel au soleil
de l'après-midi.
Une voiture tourne dans l'allée et s'arrête. Mon père en
descend et nous rejoint dans l'entrepôt au pas de course.
C'est lui qui amène les paquets à la poste ; c'est son job,
nous sommes une entreprise familiale.
– C'est ainsi que j'ai toujours imaginé la chose : moi trônant
au beau milieu d'une saine ruche au travail, distribuant
des truffes à la ronde. Tu en veux une?
Il me colle une petite boîte de chocolats sous le nez.
Je saute sur l'occasion et en enfonce un dans ma bouche.
– Grand-père, faut que je te dise quelque chose, j'annonce
au travers de ma truffe, ce qui n'est pas facile.
– Quoi donc? demande grand-père.
Le contenu de la bouchée explose sous ma langue, et une
liqueur à la cerise se répand en frétillant dans mon palais.
De l'eau de feu au goût cerise. Je ne sais pas si je dois avaler ou recracher. À cet instant, un vieil homme passe le coin
de la rue et franchit l'entrée en boitillant. Un de plus. Ces
derniers jours, les vieux messieurs défilent pour s'entretenir

avec grand-père. Celui-là sourit comme un lapin et fronce
le nez comme une dame ; il porte un bandeau et un jean
datant de l'époque impériale. De son énorme sac à dos
pendouillent deux rats en peluche. Sa grosse main ridée
tient un petit bouquet de fleurs.

– Ah! Ce brave Fontana! s'exclame grand-père.

– Bouondjiorno, salue le dénommé Fontana, avec
une révérence pour moi.

Il me tend le minuscule bouquet grossièrement déplumé
de fleurs sauvages. Je ne peux pas remercier, je ne sais pas
où mettre ma sauce au chocolat. Fontana pose son sac à dos
sur le sol et l'ouvre, faisant dodeliner les rats. On a l'impression qu'il les a abattus et accrochés par la queue pour en
tirer un effet dissuasif quelconque – une sorte d'épouvantail
ambulant, pour ainsi dire.

– Le miel, fait le colonel en hochant la tête d'un air entendu.

– Venti-cinque! annonce Fontana.

Il empile des verres aux pieds du colonel. Le bouquet entre
mes mains est magnifique. Frêle, sauvage. Des tiges fines,
des fleurs précieuses.

Le colonel se retire. Fontana me traverse du regard, tout
sourire.

– Dou miele! Des abeilles. Dé mes abeilles, j'ai des abeilles!

Il approuve du chef, je l'imite.

– Lou miele, c'est dé l'infini, affirme-t-il en réajustant son
bandeau.

– Hum?

– Lou sole aliment qué né périme jamais. On a trouvé dou
miele dans les pyramides, vioux de dou mille ans. Il était
encore bon.

Je finis par avaler. Ma gorge brûle, j'aspire le kirsch.

– Sérieux?

Fontana confirme d'un hochement de tête frénétique.

– Lou miele est la meilloure conserve!

Le colonel revient, portant avec lui une caisse en bois
qu'il ouvre à grand-peine. Des lunettes à moustache,
toutes faites main. Il en tend une à Fontana, qui émet
un grognement.

– Vingt-cinq! lance le colonel, remettant les lunettes
l'une après l'autre au mystérieux visiteur.

– Héhé! fait Fontana, avec un clin d'œil à mon attention.

– Vous échangez du miel contre des lunettes à moustache?!

– Nous avons besoin de beaucoup de miel pour
la production, se défend grand-père.

– Tu en fais quoi, de toutes ces lunettes? je demande
à ce fada d'oncle Fontana.

Il hausse les épaules jusqu'aux oreilles, frotte les doigts
de sa main gauche les uns contre les autres.

– De l'argent, répond-il enfin.

– Fontana les vend dans les bars, explique grand-père.
Ça fait un tabac chez les jeunes, pas vrai, mon vieux?

Fontana confirme avec enthousiasme.

– Cinque euros, précise-t-il.

Il case toutes les lunettes dans son sac à rats, le remet
sur son dos, lève la main en guise d'au revoir et s'éloigne
d'un pas tranquille. Grand-père se penche vers moi.

– C'est le meilleur apiculteur d'ici jusqu'au Groenland,
ronronne-t-il.

PARENTHÈSE
LEXICALE :
« NOCHER »

AMÉLIORATION TERMINOLOGIQUE
INSTAURÉE PAR LARA MAYA LILITH
SCHMITT, DE LA CIRCONLOCUTION
INÉLÉGANTE, IMPRÉCISE ET COMPLEXE:
« SECOUER LA TÊTE POUR DIRE NON »

Coffre de voiture, claquement de portière, démarrage, coup de klaxon. Juri quitte la cour.

– Heu, grand-père... Je voulais... Donc, je voulais te dire que je vais me retirer pour quelque temps de notre affaire. Tu comprends? Je n'y arrive pas, ça fait trop. J'ai besoin de plus de temps pour maman. À la maison, je veux dire.

– Bien sûr, répond grand-père en posant la main sur mon épaule. Pas de problème.

Enfourchant le mobil-glace, Lars passe devant nous dans un sifflement et disparaît au coin de la rue en faisant tinter la sonnette. Basil s'assoit au soleil contre le mur. Il bricole une amulette.

– Tes amis sont déjà au courant? demande grand-père.

Je noche.

– On s'en sortira sans toi temporairement. Les autres prendront les choses en main.

Les affaires vont bon train. Le magasin vrombit. Même sans moi.

Chapitre 5

MAMAN BIPE

Pas comme avant. Pas comme un sifflement d'oiseau. Maman bipe comme un mauvais réveil. En fait, ce n'est même pas maman qui bipe, mais l'appareil dans ma poche. Un biper. Comme un baby-phone, en gros : maman bipe quand elle a besoin de moi. Au moment où elle a envie d'aller aux toilettes, par exemple, et que je suis en vadrouille, en train de dormir ou de vendre des glaces, et que Ludmilla n'est pas là.

Quand maman bipe, mon cœur se met en mode colibri. Ta. Bip. Maman. Bip. Meurt. Bip. Je me dis ça à chaque fois. Quel que soit l'endroit où je me trouve, debout, allongée, accroupie ou suspendue, je pique un sprint et me retrouve l'instant d'après au chevet de maman, haletante. Maman sourit, pouce levé. Elle dit : « Toilettes ». Lenny et Roy sont étendus sur son ventre. Étirent leur tête. Ta. Bip. Mère. Bip. A envie. Bip. De faire pipi. Bip. La vie continue. Bip. Encore un peu. Bip.

– Éteins ce bip, demande maman dans un sourire.

Je m'exécute. L'aide à se lever et à s'asseoir dans Bébé-Ralf. Puis sur les toilettes. Accroupie devant elle sur le carrelage, on se regarde dans les yeux.

 BÉBÉ-RALF, LE : FAUTEUIL ROULANT POUR LES PETITS TRAJETS À L'INTÉRIEUR DU DUCHÉ EN PLASTIQUE.

– Fini?

Maman confirme d'un signe de tête, je me redresse pour l'essuyer. Elle peut à peine bouger ses bras, elle n'atteint plus son dos, moins encore son derrière avec du papier. Une seule fois ça a été bizarre d'essuyer le derrière de maman : la toute première fois. Depuis, l'essuyer elle, c'est comme m'essuyer moi. J'aimerais pouvoir essuyer ma mère jusqu'à la fin de ma vie, mais je sais qu'un jour, ça va faire « bip ! » ou je vais recevoir un appel, et je trouverai là un urgentiste et des brancardiers qui emporteront ma mère hors de Château-Plastique, et c'en sera terminé. Fini de rigoler. Bip.

Rire, c'est s'émerveiller haut et fort, a dit Jonni récemment. Jonni, c'est le kiné de maman. Peut-être bien que, dans des circonstances normales, Jonni, ce serait le gars dont je pourrais tomber amoureuse. Grand, sympa et drôle, blond et brun, toujours souriant, possède un modeste répertoire de bonnes blagues, sent le lait ensoleillé et les petits pains frais. De temps à autre, distribue à la ronde des phrases du type : « Rire, c'est s'émerveiller haut et fort », ou bien « D'abord l'effort, après le réconfort », ou encore : « Faut vivre le changement ». Malheureusement, il n'y a pas de place dans mon cœur pour une appli du genre être-désespérément-amoureuse-du-kiné-surfeur. J'ai besoin de toute la mémoire vive disponible pour ma mère, besoin de mon cœur entier comme espace de stockage.

Maman et moi, on rit beaucoup, il y a toujours et encore de quoi s'étonner. Étonnante, notre vie. De manière générale, d'ailleurs, on fait la plupart des choses haut et fort. Le monde n'a qu'à bien se tenir : on est là. Au sens étroit, il se passe beaucoup moins de choses qu'avant, point de vue action j'entends. Bien sûr qu'il se passe toujours quelque chose. Il ne peut pas ne rien se passer. C'est impossible, évidemment. Mais il se passe quand même beaucoup de choses qu'on appelle illogiquement « rien ». Or ça ne nous empêche pas de parler de tout, et même de rien. Y compris point de vue action. Je suis ainsi devenue

championne dans l'art de raconter à maman la préparation
des tartines point de vue action :
Alors, j'arrachai de mes griffes en colère la feuille de salade,
la jetai avec dédain dans le récipient en acier, la noyai dans
l'eau, la secouai et la fouettai contre la tranche de pain
complet bien grillée, sur laquelle le comté, du haut de ses dix
mille mois d'affinage, se recroquevilla dans un soupir
et se mit à fondre.
Genre. Quand on ne fait plus que rester au lit, on devient
une râlroïne. Une râlroïne des tartines.
Des fois, je laisse aussi la parole à maman et active
l'appareil. J'enregistre toutes ses histoires pour pouvoir
les écouter, encore et encore. Aussi souvent et aussi
longtemps que je veux. Je veux tout savoir, tout. L'histoire
préliminaire, la grossesse, les excursions, les voyages,
les pensées, les soucis. J'absorbe ma mère en moi pour
la conserver, pour en conserver toutes les parties.
Je m'agace régulièrement de ne pas avoir commencé plus
tôt ; combien de choses me sont déjà passées sous le nez ?

Chapitre 6

À MOITIÉ FINIS

Lucy absente, je peux voir mes frères. Papa travaille
un nouveau morceau dans sa petite salle de musique.
Je suis installée sur le canapé avec Théo sur les genoux.
Ron, étendu sur le sol, gazouille vers le plafond ; Lenny
et Roy, nos tortues, lui tournent autour à fond la caisse.
LdK ne me laisse plus seule avec eux, je peux déjà être
contente d'avoir le droit de les voir.
Je soulève Théo et l'examine longuement. Lui me regarde
de ses petits yeux somnolents, je ne crois pas, d'ailleurs,
qu'il puisse déjà me voir véritablement, en tout cas, il ne
comprend certainement pas ce qui est en train de se passer :
que quelqu'un le prenne dans les bras, et que ce quelqu'un
soit sa sœur. Je l'assois sur mon ventre.
Théo ne sait encore rien faire, il se contente d'être là,
en vie. Il sait pleurer, manger et digérer, mais même
ces choses-là il ne les maîtrise pas encore vraiment ; pour
un repas digne de ce nom il est encore trop petit,
il ne supporte que le lait et une purée de temps à autre.
En réalité, quand Lucy l'a mis au monde, il n'était qu'à
moitié fini, me dis-je quand il bave sur mon T-Shirt.

Il va être occupé quelques années encore à mûrir et grandir ;
ça va mettre des plombes avant qu'il puisse faire
ses premiers pas maladroits. Dans son état actuel, il n'est
nullement viable. Sans Juri et son flamant rose, ces deux-là
seraient à la rue.
Grincement de violoncelle. Les bébés se sont d'ores et déjà
habitués à l'abondance de musique, ça ne les dérange pas.
Je considère le visage de Théo, blanc, graisseux, chiffonné.
S'il a un rot de travers, il ne peut que pleurer, il ne sait
même pas changer de position. Il ne peut qu'espérer que
quelqu'un vienne et le tourne, ou le prenne dans les bras
et lui caresse doucement le dos (c'est ainsi qu'on procède
avec les bébés quand ils ont des gaz).
Je ferai en sorte que mes frères puissent pleinement
développer leurs talents ; je les entraînerai, je me battrai
pour eux. Je prendrai garde à ce qu'ils ne deviennent pas
des flamants roses, je m'occuperai de leurs boucles, leur
montrerai comment les choses fonctionnent ici, leur expli-
querai de quoi il retourne. Ils seront des nôtres, j'y veillerai.
Je chatouille Théo doucement, mais il ne comprend pas,
il se contente d'ouvrir de grands yeux un peu surpris.
Je l'attrape, le soulève comme un gigantesque hamburger
à la hauteur de mon visage. De ma bouche sortent des bruits
bizarres. Ce n'est pas moi qui les produis, ils sortent tout
seuls. Théo rit. C'est aussi simple que ça.
À vrai dire, on était sur la bonne voie, LdK et moi.
On se disait bonjour de temps à autre, on faisait
la vaisselle ensemble, et quand j'allais promener Greg,
le chien de Lars, et les tortues, elle m'accompagnait parfois
avec sa poussette. J'ai mangé à sa table, ingurgitant
les ridicules lasagnes dont elle est si fière – chose

inimaginable depuis qu'elle prétend que j'ai perpétré
un attentat contre mes frères. Je ne mange plus ce qu'elle
cuisine, je ne bois plus de son eau, je ne m'assois pas non
plus sur la même cuvette qu'elle : quand j'ai envie d'aller
aux toilettes, je sonne chez Basil.
Ce n'est pas parce qu'elle est la mère de mes frères que nos
mondes doivent se mêler davantage. Je distingue stricte-
ment son monde du nôtre. Je ne lui parle plus ; les règles
qu'elle édicte ne valent pas pour moi, elle n'a rien à me dire.
Je combats la prolifération de ses mots et de ses habitudes.
Quand Juri s'approprie une expression typique de flamant
rose, je lui interdis de l'utiliser en ma présence. Voici
quelques mots-flamingo :

Quand Juri s'intéresse tout à coup au foot juste parce que
le flamant rose s'y intéresse, je ne le lui laisse pas passer ;
on n'écoute pas non plus ses stations de radio et encore
moins ses CD débiles.

Parmi les vingt-neuf paires de chaussures dans l'entrée,
vingt-quatre sont à elle. Elle accroche des photos d'elle
et de ses copines dans notre appart. Dissémine des peluches
un peu partout, empiétant sur le territoire du zèbre. Elle
a peint les étagères du frigo en jaune parce qu'elle trouvait
ça plus cosy! Le flamant rose aime bien se sentir cosy dans
ma cuisine! Et sans arrêt des choses disparaissent. Chaque
jour. Un truc après l'autre. Où sont nos vieilles pinces à linge
bariolées? Qu'est-il advenu de notre arrosoir couleur pâté
de campagne? Depuis l'arrivée de LdK, les fourmis ont
disparu du balcon. Et qu'est-ce qu'elle trafique avec
les vieilles ampoules soi-disant fichues? Où sont les graines
germées de châtaigne et les semis de capucine? Rien n'est
en sécurité, en sa présence. C'est la raison pour laquelle
je transbahute au grenier tout ce qu'elle est susceptible
de vouloir éliminer. Au grenier, aucun risque.

Greg renifle Ron, puis lui fait deux brèves léchouilles
à l'oreille, un doux baiser de chien. Il est gentil avec
les petits ; il les considère probablement comme des bébés
de sa meute. Il veille sur eux. Quand ils crient ou pleurent,
il reste à leurs côtés, le regard triste et les oreilles
pendantes. Il ne dort jamais bien loin d'eux ; et au parc,
il repousse vaillamment canards et pigeons.

Théo dans les bras, je fais les cent pas dans la cuisine.
Me balance doucement en cadence, en rythme avec
le violoncelle. Théo glousse et me bave sur l'épaule. Je sens
son petit museau humide. Trop mignon.

Certaines des vieilles affaires râlbanaises sont suffisamment lourdes et encombrantes pour conserver naturellement leur place. Le canapé, la table, le lit, le frigo. Notre sculpture de chewing-gums est restée elle aussi, parce qu'elle est importante et symbolique : du haut du réfrigérateur, elle nous contemple, souvenir du bon vieux temps. Je la mettrai dans un musée, un jour. C'est sa place. Elle y sera en sécurité.

Soudain, Ron se met à rouspéter. Un son plein, merveilleux, vrombissant et martelant comme une tondeuse au démarrage – mon petit frère, un vrai musirâle ! Évidemment, les cris de Ron contaminent aussitôt Théo ; les deux sont comme une chaîne de dominos, quand on en renverse un, il emporte l'autre au passage. Je pose Théo sur le sol à côté de Ron ; ils commencent à se bêler dessus, s'échauffer et s'exciter l'un l'autre. Un charmant duetto. Lenny et Roy rentrent leur tête dans leur carapace. Ça me fait rire. Greg glapit à l'unisson. Mon père nous accompagne passionnément au violoncelle. Une vraie rhâlmonie !

Et puis Lucy de Kleijn surgit sur le pas de la porte, ananas et poireau sous le bras, secouant la tête. « Qu'est-ce qui se passe ici ? » interrogent ses lèvres bien trop rouges. Bah, à ton avis, je pense. Un attentat sur tes fils, bien sûr. Pourquoi un bébé de quatre mois pleurerait-il, sinon ?

Chapitre 7

UNE IDÉE ÉNORME

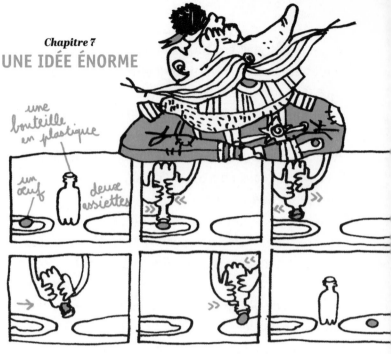

Depuis que la cuisine du colonel Raclette a été reconfigurée en manufacture et café-glacier, grand-père et moi, nous nous retrouvons dans une petite boulangerie pour notre paris-brest hebdomadaire. Ce n'est pas comme avant, mais qu'est-ce qui est encore comme avant? Ah si : le fait de détailler nos gâteaux en cinquante-quatre parts et de boire respectivement un café au lait et un lait au café.
C'est toujours ça.
Grand-père m'explique son invention géniale, qui n'est malheureusement ni un télé-transporteur, ni une machine à remonter le temps, ni un mouvement perpétuel, mais la plus élégante méthode au monde pour séparer les blancs des jaunes d'œufs à l'aide d'une bouteille en plastique vide d'un demi-litre. C'est génial, et si évident qu'on se demande comment on a pu ne pas y penser plus tôt. Des millions de bouteilles en plastique se verraient ainsi accorder une nouvelle vie en tant que pipettes à œufs.

Malheureusement, grand-père doit digérer le fait que s'il a eu l'idée seul, il ne l'a pas eue le premier. Julius a trouvé sur internet la vidéo d'une Chinoise qui sépare ses œufs exactement de la même manière.

– Ce qui ne prouve qu'une chose! vocifère grand-père.

Et des miettes de paris-brest volent vers moi, grêle de météorites miniatures, tandis que son long index, pic en colère, tambourine la table en plastique de la boulangerie, faisant cliqueter les couverts en cadence.

– C'est que l'univers a un plan. Comment expliquer sinon que deux hommes parfaitement différents, situés à deux endroits éloignés du globe, aient la même idée quasiment en même temps? Il faut bien qu'une instance supérieure l'ait plantée en amont. Que ce monde est plein de miracles, on le voit partout : au début de chaque univers, des choses ont été amorcées qui n'ont fait sens que des dizaines de milliards d'années plus tard. Comment serait-il possible de prévoir si tôt ce qui va coller parfaitement plus tard, sans admettre que tout est lié de manière planifiée? Nous ne pouvons vivre que parce que les niveaux d'énergie de béryllium, d'hélium et de carbone s'accordent! Toi comme moi! C'est censé être un hasard, ça?

Ses yeux flamboient ; son doigt s'immobilise, recourbé, au-dessus de la table. Dans le silence soudain, mon masticage de paris-brest produit un bruit tonitruant. Béryllium? Carbone?

– Je suppose que oui, je réponds.

Je pense vraiment que tout est aléatoire. Certes : pas entièrement dénué de règles. Si je pousse mon assiette hors de la table, elle va tomber par terre. Parce que la masse de gâteau est attirée par la masse terrestre. Des règles comme celle-là existent, en revanche il n'existe pas de finalité. On avance à tâtons dans le néant, aveugles qu'on est ; et ce qui, par hasard, trouve un sol favorable, va se mettre à pousser.

– N'importe quoi, voyons! s'écrie le colonel. Ça n'a aucun sens! Il me considère, les yeux plissés de colère.

– Il y a quarante sortes différentes d'insectes sur Terre, dont les ancêtres n'ont jamais pu être en contact les uns avec les autres, ronronne-t-il, pourtant, tous possèdent le même gène commandant la mise en place de l'œil. Il FAUT bien qu'il y ait un plan! La pipette, la Chinoise et moi, on est la preuve que l'univers a un plan. Je t'avais prévenue que cette invention serait majeure!

J'en suis à mon morceau numéro trente-quatre, grand-père n'en est qu'à sa sixième bouchée. Il n'a pas le temps de manger, il doit m'expliquer l'univers. J'écoute, mâchant avec vaillance. Le colonel prend une profonde inspiration, mais s'affaisse en expirant, château gonflable dont on a retiré le bouchon. Sa main est devenue un moineau, lequel picore encore vite fait deux, trois, quatre morceaux de paris-brest avant de s'en retourner dans son nid, alias la bouche du colonel Raclette, Président-Directeur-Général des dealers de glace. Il mâchonne au ralenti, balayant du regard le modeste univers de la boulangerie.

– Tu sais quoi? C'est ça le plus curieux : ta vie durant, tu attends cette idée. Tu es convaincu qu'elle va venir, et à la fin elle arrive bel et bien. Tu la reconnais sur-le-champ, tu reconnais cette idée géniale que tu as mijotée dans ton coin, à la force de ton expérience, ce fruit infiniment unique de ton vécu, de tes sentiments, tes décisions. Et là, tu constates que quelqu'un, à l'autre bout du monde, a déjà eu cette idée. C'est comme être frappé par la foudre, pas vrai?

La probabilité est tout aussi faible. Mais imagine : il y a
des gens qui sont frappés plusieurs fois par la foudre.
J'acquiesce. Je sais.
– Tu connais Roy Sullivan? Le paratonnerre de Virginie?
Huit fois frappé par la foudre, huit!
Il me scrute d'un regard interrogateur. J'acquiesce à nouveau,
bien sûr que je le connais, l'une de mes tortues porte son nom!
– Regarde-moi! s'écrie le colonel en écartant les bras.
À deux reprises dans ma vie, j'ai eu une grande idée.
Et à deux reprises, j'ai été le deuxième de justesse
à la mettre au monde!
Il éructe un petit rire, un gloussement, comme une bulle qui
s'échappe de l'eau et éclate en s'envolant, blop, et disparaît.
Une fois, deux fois, trois fois.
– C'est comme à l'époque, quand j'avais inventé ce mot qui, em-
ployé chaque jour, fait gagner plus de dix mille heures de vie.
– Ah, le feupier*?
Encore neuf morceaux dans mon assiette. Le compte à
rebours est lancé.

* **« FEUPIER »** ABRÉVIATION INVENTÉE
PAR LE COLONEL RACLETTE
POUR :

L'UTILISATION SYSTÉMA-
TIQUE DE CE NÉOLOGISME
DANS LA LANGUE ÉCRITE
ET ORALE PERMET
UNE ÉCONOMIE
D'ENCRE ET
SURTOUT
DE TEMPS :

UNE FEUILLE DE PAPIER

EN ALLEMAGNE,
80 MILLIONS DE PERSONNES
FERAIENT L'ÉCONOMIE
D'UNE DEMI-SECONDE
PAR JOUR.

EN ADMETTANT QUE :

CHACUN
PRONONCE EN
MOYENNE
UNE FOIS
PAR JOUR
« UNE (OU
PLUS) FEUILLE(S)
DE PAPIER »

+

ON ÉCONOMISE
BIEN UNE
DEMI-SECONDE
EN UTILISANT,
« FEUPIER » À
LA PLACE DE
« FEUILLE DE
PAPIER »

=

C'EST-À-DIRE :

40 000 000 SECONDES

SOIT PLUS DE :
700 000 MINUTES
OU PLUS DE : 10 000 HEURES
>> ON POURRAIT
ÉCONOMISER 450 JOURS
PAR JOUR !

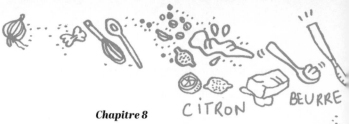

CITRON · BEURRE · FARINE · œuf · FARINE · miel

Chapitre 8

LA PAPESSE DE LA SOUPE

– Oooo-kay, lance Ludmilla en rajustant son bandana.
Campée devant la cuisinière, elle nous jauge du regard. Ses
épais sourcils sombres effectuent quelques pas de danse.
La tête de zombie ensanglantée imprimée sur son T-Shirt
me fait risette. Elle frappe des mains, nez froncé en l'air,
la bouche en cul de poule. Une prof de danse en costume
heavy metal.

– Aujourd'hui, première leçon : la soupe aux miettes sucrée!
On a cours de soupe auprès de l'érudite Ludmilla
Lewandowski. Elle nous forme à devenir des virtuoses
de la louche et de la marmite. De l'artisanat, du savoir,
de l'art. Inspiration, travail, transpiration. Son regard fait
la navette de Lars à moi, aller-retour. Elle attend.

– Alors?

Lars fait son timide.

– Allez, vas-y!

Elle fait un pas de côté pour libérer la cuisinière. Lars
s'empare d'une casserole de taille moyenne, sort du frigo un
litre de lait qu'il verse dedans, puis pose le tout sur le feu.

– Maintenant, citron et vanille, c'est bien ça? demande-t-il
en se grattant la nuque.

Ludmilla approuve d'un signe de tête. Lars râpe l'écorce
de citron dans le lait fumant puis ajoute la vanille. Il bat
un œuf dans un petit bol, le mélange à une pincée de sel.
Puis, les mains sur les hanches et les yeux levés vers
le plafond, il réfléchit et marmonne.

– Deux cents, lui souffle Ludmilla.

– Ah oui, dit Lars.

Il pèse deux cents grammes de farine qu'il mélange à l'œuf pour former des grumeaux. Dès que le lait se met à bouillir, il éteint la plaque de cuisson et verse les grumeaux dans la casserole. Ludmilla se retourne – une petite pirouette de cuisine ludmillienne – puis s'immobilise, le nez suspendu au-dessus du lait.

– Ahaaaammmhh! fait-elle.

C'est du polonais, et ça signifie : « OK jusque-là – mais quelle est la prochaine étape? »

– Laisser reposer deux minutes à tout petit feu, récite Lars, avant de parfumer avec du miel.

Ludmilla fait claquer sa langue de prof de danse, opine du chef, se met sur la pointe des pieds et se retourne dans ma direction. Elle est l'instance, le jalon de référence, la papesse de la soupe.

– À toi, maintenant, dit-elle. La soupe de gratte-cul, je te priiiie!

La question, c'est : possède-t-elle une force surnaturelle? Elle sait tout sur les herbes et les plantes, mais est-elle magicienne?

– Milla, tu sais, je me disais...

– Tu n'as pas fait tes devoirs?

– Si!

– Eh bien alors, qu'est-ce que tu me bégaies là? La soupe de gratte-cul! Dis-moi comment on la prépare.

– Je voulais te demander si on ne pouvait pas plutôt inventer une soupe, aujourd'hui?

Elle me scrute avec sévérité, les mains croisées derrière
le dos. Puis, d'un coup sec, elle tend le bras droit en avant
et me désigne de sa louche :
– Inventer, inventer! Vous voulez toujours commencer
par inventer! Faut d'abord connaître les règles! Maîtriser
les outils! Où irions-nous si tout le monde se mettait
à concevoir des maisons sans savoir manier le marteau?
Elle me dévisage, les yeux plissés.
– Tu n'as pas appris ta leçon, mon enfant!
– Si! je proteste. Je l'ai apprise!
Ludmilla me dévisage d'un air moqueur. Je commence
à réciter :
– Ingrédients : deux cent cinquante grammes de gratte-cul,
un citron, cent grammes de raisins secs, cinquante grammes
de farine, du miel, un verre de jus de raisin, du sel,
de la cannelle, de la chapelure, du beurre.
– Mouais, fait Ludmilla.
– Lavez les gratte-cul, retirez-en la queue et la fleur, puis
laissez frémir à feu doux avec un demi-litre d'eau
et l'écorce du citron pendant une demi-heure.
– Mhm.
– Puis passez les gratte-cul blanchis et ramollis au tamis.
Ajoutez les raisins. Poursuivez la cuisson.
– Mhm.

– Diluez la farine dans de l'eau, puis versez dans la soupe sans cesser de remuer. Portez à ébullition et laissez épaissir.

– Jusque-là, n'importe qui sait le faire, maugrée Ludmilla, laissant errer un regard las vers la fenêtre et se balançant d'une jambe à l'autre.

Quand elle est prof, elle devient une tout autre personne.

– Assaisonnez de jus de citron, de sel, de miel et de jus de raisin.

Ludmilla hausse les épaules.

– Enfin, je continue, faites dorer la chapelure dans le beurre et parsemez-en la soupe!

Ludmilla écarte les bras avec élan, son visage s'illumine, elle est de nouveau elle-même.

– Bravo! s'exclame-t-elle. Qu'est-ce que tu veux inventer?

– Un genre de médicament, je réponds. Une soupe-santé, une... eh bien, une potion magique, un truc comme ce que font les druides et les sorcières.

– Ça, je ne sais pas faire.

– Ludmilla!

– Vraiment pas. Je fais des soupes. Des soupes bonnes et saines. Mais des potions magiques, non.

Elle noche avec virulence.

Je la comprends : qui aime révéler ses dons de magicien? Quand on sait pertinemment que ça n'attire que des ennuis. Si tu avoues être magicien, t'as tout le temps des gens qui viennent te voir pour te demander de leur mitonner quelque chose ; et s'il arrive un truc grave à l'un d'entre eux dont on ne sait pas trop d'où ça vient, tu te fais accuser de sorcellerie. Moi non plus je ne dirais rien, à sa place. Je jette à Ludmilla un sourire complice. Mais elle ne bronche pas.

MÉLISSE

– Milla, imagine que tu remarques que ton cœur bat plus lentement. Que tu te sentes faible, raplapla, épuisée, même quand tu ne fais rien. Tu vois le truc : bourdonnement d'oreilles, vertiges, parfois bouffées d'angoisse.

– Je boirais du thé, répond calmement Ludmilla. Fleurs d'aubépine. Pendant des mois.

– Des mois?

Ludmilla confirme de la tête.

– L'aubépine contribue au bon équilibre entre tension et robustesse du cœur. Elle redonne de la force en cas d'apathie. Dope le cœur et calme les nerfs.

– Et contre la paralysie?

Ludmilla tire les lèvres vers le bas.

– Dur de dire, admet-elle. Clous de girofle, peut-être. Faut être très prudent. Du chèvrefeuille noir? Uniquement en doses homéopathiques. Ce qui est bon pour le système nerveux, ce sont les bains aux aiguilles d'épicéa accompagnées de tisanes de thym. Et les tisanes d'angélique, de valériane, d'alchémille, de millepertuis et de primevère. En cas de tremblements, frictions avec de l'huile de thym.

– Attends, attends! Pas si vite!

Je prends des notes. Essaie, du moins. Le regard de Ludmilla a décroché, pour ainsi dire ; il erre dans le vague, bien au-delà des remparts de Château-Plastique.

– Le gléchome, murmure-t-elle. L'acore, la camomille, la mélisse, la lavande, la menthe, la carline.

Elle rajuste son regard, revient dans son corps, se retourne vers moi et me sourit.

– Les hommes devraient manger des mûres, les femmes des framboises.

Chapitre 9

RÉDUCTION DU RAYON D'ORBITE

Je récupère les sacs de courses accrochés
à mon vélo et me dirige vers l'entrée. Ouvre la porte.
– Maman?
– Oui.
Il est vingt heures passées. Au programme aujourd'hui :
les cours, puis glacier, courses, maintenant maman ; ensuite,
virements bancaires puis devoirs si j'ai le temps. Retirer
mes chaussures, balancer les sacs dans la cuisine.
– Tout va bien? je crie en direction de la chambre
de maman.
– Oui.
Thé, couches, fruits, légumes, yaourts, céréales, pruneaux.
Petit coucou de Ludmilla sur la cuisinière : une soupe de
gratte-cul. Je goûte du bout du doigt. Puis vais voir maman.
– Ça me démange de partout, annonce-t-elle. C'est fou !
Elle a des égratignures sur le dos des mains et les avant-
bras. Rouge vif.
– Je suis épuisée, à présent. De m'être tant grattée.
– T'es pas folle? je hurle.
J'examine sa peau. Elle est brûlante et suintante.
– Tu peux quand même pas te gratter jusqu'au sang?!
– Ça me démangeait tellement!

– Pourquoi tu ne m'as pas appelée?

– Mais aujourd'hui tu avais... Je ne veux pas te...

– Zut, maman!

– Ce sont les nouveaux médicaments...

– Où est Ludmilla?

– Je l'ai renvoyée chez elle avant l'arrivée du Docteur Su.

– Tu as écrit...

– Je sais ce que j'ai écrit.

On s'échange environ trente SMS par jour. C'est une consé-quence de la maladie : nos rayons d'orbite se sont rétrécis. Je soigne ses bras, prépare du thé, vais chercher brosse et pâte dentifrice et lui brosse les dents.

– Qu'est-ce qu'il a dit d'autre, Docteur Su?

– Comment sont vos selles?

Elle rit.

– Sérieux, maman.

– Il dit, répond-elle au travers de la mousse de dentifrice, qu'il faudrait peut-être un cathéter à la vessie. Que je lui fasse signe si je ne supporte pas les nouveaux médicaments. Et qu'on doit faire attention à mes fesses. Elles sont presque à vif.

Chapitre 10

MAMELONS DE FLAMANT ROSE

L'estomac des jumeaux est en plein développement, ai-je lu
dans un livre, bientôt il pourra supporter plus de nourriture.
Ça signifie que le flamant rose devra allaiter moins souvent.
Plus que quatre à cinq fois par jour. Par jour! Fois deux!
Confortablement allongée sur le canapé, je l'observe en
pleine action. La regarde presser ses mignons mamelons
rouge vif de flamant rose dans la bouche de mon petit frère,
comme on presserait un bouton-pression dans son orifice
(je ne sais pas comment on appelle ça). Semaines des seins
nus en Râlbanie. Ron en a maintenant seize, de semaines,
et il n'y a pas que son ventre qui grandit ; il pige chaque
jour un peu plus le monde, ou bien il peut voir plus loin, ou
les deux – en tout cas, il prend lentement contact avec son
environnement, et non plus seulement avec les mamelons
du flamant rose. La conséquence, c'est que la tétée dure
plus longtemps, parce que mes frères, tout à coup,
se laissent distraire par ce qui les entoure. Le flamant rose
est au désespoir, elle a les larmes aux yeux. Elle tapote

sa poitrine gonflée contre la joue de mon petit frère ;
celui-ci reprend enfin sa tétée et le flamingo pousse
un soupir de soulagement.
Relevant la tête, elle me considère avec une bienveillance
toute relative.
– Pourquoi tu regardes avec cette mine dégoûtée?
Hé, doucement les basses! Qu'est-ce que tu me veux?
Tu es vautrée là, dans mon duché, sur tes fesses de flamant
rose, et t'adonnes au naturisme sans même m'avoir demandé
la permission. C'est un peu comme si j'enfilais tes petites
culottes, ou comme si je sonnais à la porte de tes parents,
que j'emménageais dans ton ancienne chambre et que
j'appelais ton père « papa ».
– Je regarde comme je veux, OK?
Je dis. Calmement, d'une voix profonde et assurée. Me lève
du canapé, tranquille. Reste complètement zen. Ça fait
longtemps que je ne pète plus les plombs pour un oui pour
un non. Je ne me laisse pas décontenancer pour si peu.
Je n'ai pas le temps, sérieux. Râler, c'est pas en passant.
C'est tout ou rien. Faut prendre son temps. Et d'ailleurs,
espèce de flamingo à la noix : c'est pas moi qui ai choisi
de voir tes lolos non-stop.
Je savoure le silence, seulement rompu par les bruits
de succion de Ron. Et par l'agitation de papa dans le couloir,
qui fredonne une mélodie. Flamant rose détourne le regard
et chuchote quelque chose à Ron, un caquetage d'oiseau.
Mon frère ne la parle pas, ta langue, ton gazouillis jacasseur
de flamant rose.
Soudain, elle arrache Ron de son téton comme on retire
une tique de la peau et se lève dans un soubresaut, hurlant
comme une sirène :

– AAAAïïïïïïïE!!!
Elle saisit son sein. Théo et Ron se mettent à criailler,
le flamingo à chialer et à taper des pieds. À cet instant,
elle mettrait volontiers mon frère à la poubelle. Lentement,
je me redresse pour le lui prendre des bras. C'est alors que
mon père fait une entrée fracassante dans la cuisine. Moitié
trébuchant, il lui prend Ron des bras et lui demande :
– Il t'a de nouveau mordue ?
D'un léger trémoussement d'épaule, Juri berce le petit
mordeur hurlant. C'est pas trop le truc du flamant rose,
d'allaiter – sans doute parce que les oiseaux ne sont pas
des mammifères.

Pieds nus dans le gazon, je cueille des herbes aromatiques
du bout des doigts. Ce parterre d'herbes, je l'ai conçu avec
Ludmilla, et c'est l'homme qui l'a construit. On l'entretient
ensemble. Dans cette petite jungle de plantes médicinales
qui verdit et prolifère, je cultive soixante-deux sortes
d'herbes et six sortes de baies. Près de moi, Lenny et Roy
se livrent à une course effrénée en direction des frambois-
siers. Distance : un mètre et demi. Ils atteindront la ligne
d'arrivée dans cinq minutes environ. La question, c'est qui
l'atteindra en premier.
Soudain, la porte de la cour s'ouvre, et Juri est dans
le jardin, haletant, Théo et Ron dans les bras. Il hausse
les épaules en guise d'excuse, s'approche de moi. Je jette
un œil au buisson de framboises : l'un des deux a gagné
depuis longtemps. Papa pose les jumeaux près des tortues,
va chercher sa cisaille et son petit arrosoir-colonel-Raclette.
À les voir si petits et démunis, dépourvus de tout langage,
Théo et Ron me semblent appartenir à une espèce animale

étrangère. Sifflotant, papa s'installe près de moi et se met au travail. Il aère la terre, arrose à doses modérées, ôte les petites feuilles flétries et m'interroge sur les dates de récolte.

– Seulement le matin, je grogne.

Puis :

– Faut que tu construises un mur.

– Pas de problème! Où ça?

Il me contemple avec ses grands yeux.

– Je veux une pièce pour entreposer les affaires de maman. Une vraie chambre, en haut dans le grenier. Un endroit où elle sera en sécurité.

Je noche et corrige :

– Où elles seront en sécurité. Ses affaires.

– D'accord.

Il continue de désherber. Et je sais : quand je reviendrai le week-end prochain, il aura construit la chambre en haut. C'est bien. Je m'assois. Rampe en direction de Ron. Taquine de mon nez sa petite joue grassouillette. Lui glousse et roucoule. Un jour, mes petits frères seront peut-être mes potes. La nouvelle génération d'agents secrets. Mes associés. Mes collègues.

Inimaginable, quand on les regarde maintenant.

Chapitre 11

RÉVEILLÉE PAR LE SPORT

La chambre de maman.

Jonni, le kiné, plie lentement la jambe droite de maman,
puis l'étire, la tourne, la replie, la retire, la retourne.

– Ah! fait-elle, l'air détendu. C'est ainsi que j'ai toujours
imaginé le sport! C'est le sport qui doit nous bouger, pas
l'inverse! Il faut être handicapé pour vraiment savourer
la chose. Jonni éclate de rire, d'un rire qui me paraît
extrêmement sonore, mais en fait il est parfaitement
normal, c'est juste qu'ici, tout est toujours si silencieux.
On baisse automatiquement la voix en présence de maman.
Maman elle-même est devenue plus silencieuse. Jonni
la recouvre, récupère son sac et prend congé en m'adressant
un clin d'œil. Brun et blond, au moins deux mètres cinquante.
Il part sans piper mot, son argent l'attend dans le couloir.
S'en va, son sourire blanc de pub dentifrice aux lèvres.
Totalement réveillée par le sport, maman me regarde en souriant.

– C'est juste génial, le sport! chuchote-t-elle. Je pourrais
en faire tous les jours! La sécu rembourse combien
de séances par semaine?

– On doit sans doute pouvoir en faire plus souvent, je dis.
Je vais m'en occuper.

À présent, tout est calme. Je m'allonge près d'elle, enroule
son bras autour de moi comme pour m'en recouvrir.

Elle ronronne. Je suis heureuse de passer autant de temps
avec toi, ne dis-je pas.

Moi aussi, ne répond-elle pas.

J'essaie de rester le plus possible près de toi, ne dis-je pas.

Je sais. Ça me fait du bien, ne répond-elle pas.

Je veux te voir autant que possible, ne dis-je pas. Avant
que tu meures.

Chapitre 12

FFKZZZZGRRRKLJIUNAHFAPTTSSR

PAMELA
SCHMiTT

P.S.

Cornelia
Schmitt

C.S.

RUDOLF
SCHMiTT

Holger
Schmitt

J'ouvre la porte, ôte mes chaussures, l'entends déjà.
– Juri?
Non, ce n'est pas Juri, c'est moi. Mais je ne dis rien, traverse
d'un pas agile le couloir de Râlbanie, me dirigeant aussi
lentement que possible vers la cuisine. La cigogne arpente
la pièce avec agitation ; Théo et Ron reposent par terre, sur
leurs couvertures molletonnées, devant la porte du balcon.
– Ah, c'est toi, fait-elle, déçue.
Oui, moi aussi ça me fait plaisir de te voir.
– Bon sang, qu'est-ce qu'il fabrique?
Elle consulte sa montre, trépigne. Je hausse les épaules,
m'accroupit devant mes petits frères, caresse la joue de Ron.
Elle s'assoit près de moi, muette, regarde par la fenêtre.
– Faut que j'aille au travail, soupire-t-elle.
Ben vas-y! Je suis là. Une vibration dans ma poche. SMS
de papa : « Suis dans les embouteillages, arrive un peu en
retard, vingt, trente minutes ». Je lui tends mon téléphone.
Panique de flamant rose.
– Oh non!
Elle réfléchit, fouille en son for intérieur pour trouver
une solution. Me considère longuement. Je l'ignore, caresse

la tête de Théo, passe ma main dans le fin duvet
de ses cheveux. Puis elle demande :
– Tu ne pourrais pas...
Elle déglutit avec difficulté.
– Tu pourrais peut-être les surveiller? Faut vraiment
que j'y aille...
Je ne peux pas m'empêcher de soupirer et de dire :
– Je ne m'exercerai plus au jonglage avec eux...
Elle rit, pose sa main sur mon épaule.
– Promis?
Et elle disparaît.

Théo et Ron roucoulent comme de vieilles colombes.
Des enfants de flamant rose. Peut-être qu'ils parlent
la langue oiseau. Je vais veiller à ce qu'ils nous ressemblent
davantage, à papa et moi. Qu'est-ce qu'il a raconté grand-
père, déjà, sur les Schmitt et leurs cheveux? Je prends Ron
sur les genoux, renifle sa tête, cette odeur de lait de bébé.
Ses cheveux bruns n'ont même pas vingt semaines.
Qu'est-ce qu'ils sauront faire, une fois qu'ils auront reçu
un bon entraînement? Tous les Schmitt ont un don
avec leurs cheveux, d'après grand-père.
Ron tient un hochet dans sa petite main. Le porte
à la bouche. Peut-être qu'il saura crocheter les serrures
à l'aide de sa moustache, comme Rudolf Schmitt ; ou déter-
miner les points cardinaux, comme Cornelia Schmitt, dont
les sourcils pointaient toujours vers l'est ; ou peut-être
encore que mes frères pourront faire danser les feuilles,
comme Holger Schmitt, ou les cloportes comme Pamela
Schmitt. Tout est possible, et bien plus encore.
Soif. Je me lève, vais chercher un verre dans l'armoire

et du jus dans le frigo. Dans le frigo. Sur le frigo.
Sur-le-frigo-il-manque-la-sculpture-de-chewing-gums.

Non! Elle n'a pas osé, quand même! Pour qui elle se prend?!
Je bascule en avant, m'effondre sur les genoux. Ce flamant
rose me transperce le cœur. Perfore ma poitrine de picotis
couleur bonbon, jusqu'à ce que j'en sois entièrement criblée
et menace de m'effondrer.

Mes ongles me brûlent et se transforment en griffes. Une lumière crue vibre dans ma tête. Le râle arrive. Un orâge dans l'oreille. Les éclairs, le bruit, la fureur. Mon monde est parsemé de vides, d'images ensanglantées que voient mes yeux de monstre exorbités. Et quand finalement, trois heures, dix minutes ou quatre jours plus tard, un homme aux cheveux bouclés me tapote l'épaule, les mains chargées de victuailles, et me dit : « Désolé, les embouteillages du soir », une fille d'à peine treize ans explose.

Quand je reviens à moi, je suis dans le jardin de Basil. Je regarde autour de moi. Sans grand dommage, pas de blessés, visiblement. Un peu de fumée, quelques lambeaux parsemés ici et là. Manifestement, j'ai... comment dire? déplumé le petit buis. J'en suis désolée. Je suis recouverte de terre, vautrée dans un bourbier. Un grand râle de cochon. Lars et Basil m'observent depuis le seuil de la porte.

– Ça va mieux? demande Basil.

– Tu as du lait et du chocolat? s'enquiert Lars auprès de lui.

Lent hochement de tête.

– Sel, crème, beurre, cannelle et cardamome?

– Carda-quoi? s'étonne Basil en plissant les yeux.

– Bah, on verra! fait Lars en disparaissant dans la maison.

Basil réfléchit et le suit. Je reste là, allongée, sentant
la terre éventrée sous moi.

Je m'assois lentement. Je ne me souviens plus de quand
date mon dernier grand râle, je n'ai plus le temps pour ce
genre de choses. Mais parfois, la rage s'accumule et il faut
la laisser sortir, sinon elle se répand à l'intérieur, commence
à pourrir et à puer. Il faut alors allumer un grand feu
et la brûler.

– Tiens!

Lars me tend une tasse fumante sous le nez.

– FFKZzzzgrrrKLJiunahfapTTSSR, je fais.

Ça veut dire « merci! », mais exprimé avec une pointe
mélodrâlmatique. Je sens les poils de mon dos se revisser
dans ma peau. Reste la chair de poule. Et les touffes d'herbe
qui hérissent mes pattes redevenues mains. Et quelque
chose de coincé entre les dents, que je recrache dans
ma paume. Qu'est-ce que c'est? Une écorce d'arbre, du poil
de lapin, de la mousse?

– Elle n'a pas le droit! je crie. Elle ne peut pas effacer
les traces de maman comme bon lui semble!
Je me défoule, secoue le râle hors de mes membres, comme
un décrassage après le sport.

– Bois ça maintenant! me somme Lars avec sévérité,
désignant la tasse qui fume entre mes mains.
Oh oui, ce cher nectar brun, doux et gluant! Du baume
pour l'intérieur de mon corps. Un râcao curâltif.
On est assis dans le jardin de Basil, derrière sa maison,
au beau milieu de drôles d'outils qui ressemblent
à des ustensiles de nains de jardin.
– Qu'est-ce que c'est que tout ça? Vous avez braqué
un magasin de poupées ou quoi?
– On voulait justement te demander si tu avais le temps
de nous accompagner dans la forêt ce week-end,
déclare Lars.
– Qu'est-ce que vous voulez y faire?
– De la survie, explique Basil. On veut construire
une cabane, pêcher des poissons, les cuire au feu de bois,
escalader, faire notre propre pain, fumer nos poissons, poser
des pièges. Tu vois le genre?
– Pourquoi ça? je demande.
Les deux me considèrent, perplexes. Haussent les épaules.
– Bah?! fait Basil en guise de réponse.
– Parce que! Pour survivre! expose Lars en désignant
les minuscules ustensiles. Ça, ce sont nos outils de survie.
Ça suffit pour résoudre tous les problèmes!
– Ah bon? Vous avez quoi, comme problème à résoudre?
– Tous. N'importe lesquels, répond Basil.
– Je ne sais pas, je réponds.
– Comment ça? interroge Lars.
– Je ne sais pas si j'ai le temps. Beaucoup de taf,
en ce moment. Maman, et tout le reste.
Lars : « OK ».
Basil : hochement de tête compréhensif.

– Tout un week-end? je demande.

– Non, m'assure Basil. Juste une nuit.

– Juste une nuit, confirme Lars avec son sourire jaune. Allez! Apprendre à survivre...

– Vous ne voulez pas emmener Klara, plutôt?

OUTILS DE SURVIE – 1-14

LAMPE DE POCHE

COUTEAU

COUVERTURE DE SURVIE

PINCE

CORDE

DÉSINFECTANT

SPARADRAPS

BRIQUET

SAC DE COUCHAGE

MINE DE STYLO-BILLE

BOUSSOLE

FICELLE

FIL DE PÊCHE

PELLE PLIABLE

Chapitre 13

DEUX POCHES DE VESTE
AU DÉBUT DU 21ᵉ SIÈCLE

Je m'affale sur le siège passager moisi. Couinement
de portière cabossée. Mon père me sourit, balance un sachet
rempli de petits pains sur mes genoux et ramène une boucle
de cheveux derrière son oreille.
– Notre repas, explique-t-il.
Puis, désignant le tapis de sol :
– Du thé!
Je vois la Thermos à mes pieds.
– Sympa, je dis. Mais j'ai déjà mangé. Du bon muesli.
Mes boucles palpitent.
– Tant pis... dit-il.
On démarre dans un grondement. Toussotement de vieille
caisse. On sort de Plastic-Land, de la ville, direction :
Tri-Les-O.

 TRi-LES-O
TROU AU BEAU MiLiEU DE LA PAMPA.
MES PARENTS EN SONT ORiGiNAiRES.

Aujourd'hui, il me l'a promis, on va déterrer le troisième
trésor.
On a déjà fait le voyage l'été dernier pour récupérer les trois
trésors de mes parents. On en a retrouvé deux mais le troisième manque encore. Mon père nous avait donné une carte,
mais personne n'a vraiment saisi son griffonnage barbouillé.
Aujourd'hui, il veut me montrer où il se trouve.

Il bruine. J'allume la radio. On traverse du gris et du vert
de bourbe. On s'entend bien à nouveau, on parle ensemble,
même si ce n'est pas le cas en ce moment précis. Mais il a
de nouveau un nom pour moi, il s'appelle à nouveau Juri,
il est à nouveau mon père, je dis même « papa » des fois.
Je remets le pied en Râlbanie. Je ne lui en veux plus, ou
disons : plus autant. Je ne peux pas le comprendre, enfin,
pas son cœur, mais les preuves rassemblées indiquent que
Juri, l'homme et le père, n'est effectivement pas le seul
responsable de la dislocation du duché, de la dissolution
des sentiments, du froissement et de l'évacuation
de l'amour.

– Tu aurais pu te raser, je lui fais, après l'avoir considéré
un moment.

Il approuve de la tête, sa bouche trompette en cadence avec
la trompette de la radio. Sans rien dire, je cloue le bec
à son barrissement et regarde par la fenêtre.

– Qu'est-ce qu'il y a? veut-il savoir. Un gros crâlfard?

– Oui!!!

Je le mordrais quand j'y pense.

– Qu'est-ce qu'il s'est passé, en fait?

– Rien.

– Rien. Tu as juste explosé sous mes yeux... Quant à la cage
d'escalier, on peut la rénover.

– C'était pas moi.

– Ah.

– C'est la vérité.

– Mais tu t'en es remise?

– À peu près.

– Tant mieux! Je peux remettre la musique?

– Je ne sais pas si tu as remarqué, je déclare haut et fort

(et évidemment qu'il est hors de question de remettre
la musique), mais ta nouvelle copine, là, qui s'est si bien
acclimatée chez nous, elle est en train d'éliminer tous
les souvenirs de la vie d'avant elle. Elle veut nous effacer.
Comme si on n'avait jamais existé.
– Quoi? Tu peux s'il te plaît ne pas râlifier ta râlitude?
– Elle a arraché la sculpture de chewing-gums, bon sang!
Elle l'a sans doute jetée en cachette! Probable qu'elle est
perdue pour toujours, qu'en ce moment même, elle est sur
un incinérateur de déchets et part en fumée. NOTRE sculpture! Tu t'en souviens? Deux mille sept cent quarante-trois
grammes, plus de deux kilos et demi de chewing-gums!
Tout ça, on l'a mâchonné! Et elle, elle la fout à la poubelle,
juste comme ça?!
Je le fusille du regard, reprenant mon souffle ; lui lève
le doigt et ouvre la bouche.
– Heu... tu... tumelé...

– Elle a déjà tout! je crie. Elle ne peut pas au moins laisser tranquilles les quelques trucs qui me rappellent le passé, à moi et à toi aussi peut-être?

– Cé... c'était moi.

– Quoi???

Tout en conduisant et en surveillant la route du regard, il tend la main vers la banquette arrière, y saisit un sac en plastique et le pose sur mes genoux.

– J'aurais dû te demander ton avis, mais je voulais te faire la surprise.

Je jette un œil à l'intérieur. Notre sculpture de chewing-gums, enveloppée dans une serviette.

– Je me suis dit qu'on pouvait l'enterrer aujourd'hui, dit-il avec un sourire.

L'enterrer? Qu'est-ce qu'il raconte?

– L'enfouir. Comme un trésor. Tu comprends? On a toujours fait ça comme ça, Klara et moi...

– Ça ne va pas bien la tête? Tu ne veux pas enterrer notre sculpture!? Sa place, c'est pas sous la terre, c'est sur le frigo!!

Ou peut-être un jour dans le grenier, je me dis.

Mais sûrement pas tout de suite.

– C'est un élément de preuve! Ça ne s'enterre pas!

– Ah bon.

– Un mémorial!

– De quoi?

– De nous! Du temps où on était « nous ».

– OK. Tu veux qu'on enterre autre chose? Je me suis tellement réjoui à l'idée d'enfouir un trésor...

– Si tu y tiens, je fais en haussant les épaules.

– Par exemple, on pourrait enterrer tout ce que tu as dans
tes poches – sauf peut-être ta clé et ton porte-monnaie.
Mais les bonbons, les petits bouts de papier, les mouchoirs,
les chewing-gums et les tickets d'entrée, les marrons,
la monnaie, les stylos. Et on appellerait ce trésor : « deux
poches de veste au début du vingt et unième siècle ».
– OK.
Je trifouille dans mes poches.
– Tu en as déjà enterré combien, de trésors?
Il secoue la tête, gonfle les joues.
– Une centaine... un millier. Parfois pas plus qu'une
étiquette de limonade froissée avec quelques mots
griffonnés dessus, collée sous une table
de bar...
Un trésor minimal, un secret commun.

Il fait encore jour, mais c'est déjà le soir quand on arrive devant l'ancienne maison de maman.

– On a sonné ici la dernière fois. Laisse tomber. Un ours.

– On ne pourra pas s'approcher du trésor depuis le jardin, murmure papa. Faut tenter le coup.

Il descend de voiture, s'approche de la porte d'entrée. Je me range derrière lui, mal à l'aise. Il appuie sur la sonnette, compte de l'autre main : trois, quatre, cinq, six. Il attend, des pas se font entendre.

– C'est pour quoi? aboie quelqu'un de l'intérieur.

– Bonsoir! lance mon père. Mon nom est Schmitt, j'ai grandi dans cette maison. J'ai quelque chose dans la ca...

– Hum hum! je fais.

Il se tourne vers moi, comprend. Réfléchit.

– Quoi?

– Schmitt! répète mon père. Schmitt, tout simplement.

Il me considère.

– Pourrions-nous entrer? J'aimerais bien montrer à ma fille la maison où j'ai grandi...

La porte s'entrouvre, faisant cliqueter la chaînette de sécurité. Derrière, l'obscurité dans laquelle se dessine une silhouette plus sombre encore.

– Comment? caquette la silhouette.

Je rejoins mon père.

– Schmitt, répète mon père comme si son nom constituait
un sésame. Je voudrais brièvement...

Il me désigne de la tête.

– ... J'ai grandi ici. C'est important.

– Cent balles, caquette la silhouette.

Mon père rit.

– Je suis musicien...

– Cent cinquante!

– Je peux vous jouer quelque chose, si vous voulez!

– Et moi je peux appeler la police!

– Ne le prenez pas comme ça! Il pleut!

La silhouette referme la porte d'un coup sec. Mon père
tambourine contre le vieux bois.

– Hé! Je veux juste faire un tour dans la cave!

– Dans la cave où vous avez grandi? ricane la silhouette
de derrière.

Puis elle tousse avec force, et ses pas se perdent
à l'intérieur de la maison.

– Les gens, alors! soupire mon père.

Il secoue la tête, s'affale sur les marches du petit escalier
de l'entrée.

PARENTHÈSE LEXICALE :

vieille Pelote

de laine rouge (la)

À L'ÉPOQUE, IL Y A PAS MAL D'AN-
NÉES, MA MÈRE REVINT À TRI-
LES-O. MES PARENTS, QUI NE
S'ÉTAIENT PAS VUS DEPUIS
LONGTEMPS, S'ÉVITAIENT.

ALORS LES TROIS MEILLEURS
AMIS DE MON PÈRE EURENT
UNE IDÉE :

– Et maintenant? je demande.

Mon père hausse les épaules.

– On ne peut rien faire, faut attendre...

– Ouste! Déguerpissez de là! caquette la voix.

– ... et revenir à la tombée de la nuit! achève mon père avec un clin d'œil.

– Dans le tronc de l'arbre, par exemple? je dis. Là où vous aviez caché vos sacs?

Papa noche.

– Non. Faut toujours trouver de nouvelles cachettes. C'est une règle.

Je hausse les épaules et on se met en route. Trois minutes et demie plus tard, on se retrouve dans l'ancien jardin de papa.

– Sous le sureau! dit papa en le désignant du bras. C'était notre arbre préféré.

On secoue le contenu de nos poches dans un sac plastique et creusons un trou près du tronc. Ici tu reposeras et viendras à maturité, on reviendra te chercher, un jour. Papa et moi, on inscrit un rendez-vous dans notre cerveau pour demain dans dix ans.

ILS DÉPLOYÈRENT UN FIL DE LAINE DEPUIS LA FENÊTRE DE MON PÈRE, JUSQU'À CELLE DE MA MÈRE.

MES PARENTS NE SE DOUTAIENT DE RIEN. QUAND ILS S'ÉVEILLÈRENT LE LENDEMAIN, ILS L'ENTENDIRENT CHANTER SUR TOUS LES TOITS.

La pluie crépite sur le toit de la voiture. Ça fait belle lurette
qu'il fait assez sombre. Papa verse du thé dans un gobelet,
me le tend. Le froissement du sac avec les petits pains.
On mâchonne des sandwichs aux œufs douceâtres. Il n'y a
rien de meilleur qu'un sandwich aux œufs fade, relevé
de moutarde. Sauf qu'on n'a pas de moutarde.
Après avoir bu une rasade de thé, il détache sa ceinture.
– J'y vais! annonce-t-il, essuyant les miettes de ses genoux.
Il enfile sa capuche et sort dans la pluie. Prend une
profonde inspiration, fait claquer sa portière. Longe
les colonnes de lumière déversée par les lampadaires,
puis sa silhouette disparaît dans le jardinet qui flanque
la maison. J'ouvre la vitre, guette le moindre bruit. Mais
il n'y a là que le doux et léger bruissement de la pluie et
du vent dans les feuilles. Quelques gouttes atterrissent sur
mon visage. Je passe la tête par la fenêtre, contemple
le ciel. Les étoiles brumeuses. Je tire la langue pour
recueillir l'eau de pluie. Un tumulte se fait entendre,
une lumière s'allume dans la cour. J'entends quelqu'un pes-
ter, puis vois une ombre escalader une porte manifestement
verrouillée. Mon père. Soudain, de la lumière derrière
les fenêtres, un mouvement derrière les voilages.

Rumeurs & Légendes

LES COMMÉRAGES ALLAIENT BON TRAIN AU SUJET DE CE FIL...

(LE FIL QUI RÉUNIT MES PARENTS)

MAMAN SE MIT EN CHEMIN...

... POUR DEMANDER DES COMPTES À JURI.

La portière de la voiture s'ouvre, un sac en plastique maculé de boue atterrit sur mes genoux. Papa monte à la hâte, claque la portière, de la terre partout, démarrage en trombe, ses mains sont sales et égratignées. On s'échappe de la rue, mon père rit.

– Un fil de laine rouge! lance-t-il.

Je défais le paquet avec précaution. Un album photos. Pages ondulées, odeur de moisi. Un trésor de cave. Mon père est un cambrioleur.

– Papa, ils vont te retrouver!

– Jamais de la vie!

– Il y a quelques heures, tu étais devant la porte et tu hurlais que tu voulais rentrer. Tu leur as même dit ton nom.

– Schmitt! Bon courage pour me retrouver...

Riant, il tâtonne de la main droite en direction du sac et tapote la couverture de l'album.

– Et maintenant, réjouis-toi!

Ⓐ
1)

1)

QUAND TU JETTES UNE (PIERRE) VERS LE CIEL, TU SAIS:

QU'ELLE VA ATTEINDRE SON POINT CULMINANT, AVANT DE RETOMBER.

A

→ DANS L'UNIVERS,
C'EST À PEU PRÈS PAREIL :

DEPUIS LE BIG-BANG,
TOUTES LES ÉTOILES
ET LES GALAXIES
S'ÉLOIGNENT
LES UNES
DES AUTRES.

ELLES SE SONT
DISPERSÉES,

ET CONTINUENT

DE S'ÉCARTER.

AU BOUT D'UN
MOMENT, LE
POINT MAXIMAL (A),
CELUI DE LA
PLUS GRANDE
EXPANSION, EST ATTEINT,
L'ÉNERGIE CINÉTIQUE
ÉPUISÉE, ET L'ENSEMBLE
DE LA MATIÈRE
RETOURNE VERS
SON POINT DE
DÉPART.

L'ENSEMBLE DE L'UNIVERS
RÉUNI EN UN POINT.

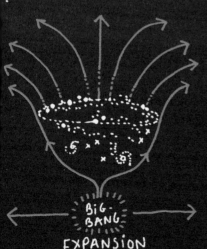

BIG-
BANG

EXPANSION

BOUM.

Chapitre 15

QUAND SONNE LA POUSSÉE

Partie de balle au prisonnier. Luciano fait la passe à Fabien
Ruben. Heureusement, Lars et moi sommes dans le même
camp et encore sur le terrain, les derniers de notre équipe.
En fait, quand on est dans l'équipe de Lars, on ne peut pas
perdre. Il n'est jamais touché, rattrape tous les ballons,
et tire comme un dieu – il pourrait jouer seul contre tous.
Fabien Ruben rend la balle à Luciano, Lars et moi sautons
de droite à gauche. Longue balle de Luciano au-dessus
de nos têtes, et là, mon portable sonne, j'entends la mélodie
assourdie qui s'échappe de mon sac de sport posé sur
le banc en bois. En plein cours, en plein jeu. Je sais ce que
ça signifie. Lars sait ce que ça signifie. Nous échangeons
un regard, pétrifiés. Le ballon claque contre la tête de Lars,
rebondit sur mon bras, tombe à terre. Fabien Ruben jubile,
il n'y comprend rien. Je fonce vers mon sac et mon portable.
C'est Ludmilla.
– Viens vite, me dit-elle. La poussée est là.
Alors je me mets à courir. Sans réfléchir. Quitte le terrain,
traverse le vestiaire, la cour, le parking, le carrefour, le
parc. Je cours sans m'arrêter, fendant les vertes arcades des
arbres, foulant l'herbe, traversant les ponts et les chemins.
Soudain, je perçois un pas de course d'échalas, et Lars apparaît à mes côtés, portant devant et derrière son sac à dos
et le mien, une double carapace de tortue. Nous effectuons
les derniers mètres dans le parc, franchissons le petit pont
et tournons dans ma rue, presque en même temps que
l'ambulance. Pas de gyrophare, pas de sirène. Elle roule
à côté de nous et s'arrête devant Château-Plastique.

Cette scène, je me la suis représentée des milliers de fois.
C'est le pire. J'aimerais ne pas être là. J'aimerais que ce ne
soit pas ma vie. J'aimerais que tout soit comme avant,
sans rien qui sonne faux, sans tout ça. Sans ambulance,
sans maladie et sans poussée.

J'avance, prise de vertige ; j'ouvre la porte, inspire, allume
la lumière et gagne la chambre de maman. Lars me suit,
les secouristes suivent Lars. Devant moi, Ludmilla sur le pas
de la porte, le regard vide comme un grand lac silencieux.
Pas d'incendie, pas d'éclair, pas de sirène. Pas de peur non
plus. Je suis là, simplement, et absorbe tout en moi.

– Poussée... dit maman.

Je hoche la tête.

– Poussée... pff! fait-elle avec le plus petit sourire
du monde.

Je m'effondre sur son lit. Reste là, sans bouger. Sourde,
abattue, fracassée. Enfin je parviens à reprendre mon
souffle. N'arrête plus, ne fais plus qu'inspirer. M'élève dans
les airs. Pendant un bref laps de temps, je flotte quelque
part à un demi-mètre de hauteur. Contemple la scène d'en
haut. Ludmilla faisant les bagages, Lars debout près de moi,
mon corps recroquevillé sur le lit, maman étendue là comme
une pâte molle. Ses yeux ouverts regardent le plafond,
me regardent moi, qui, l'espace d'un court instant, suis
parvenue à m'envoler. Peut-elle me voir, moi, là-haut?
Des mains de secouristes me saisissent à l'épaule. Depuis
ma hauteur, je vois le secouriste me pousser doucement sur
le côté et me remettre à Lars. Je me vois moi, debout près
de lui, inhabitée. Maman cligne des yeux. Me fait-elle un
clin d'œil? Je vois les secouristes soulever ma mère, l'asseoir
dans le fauteuil roulant et l'y fixer, Ludmilla sur leurs talons,

portant le sac, Lars reconduire mon cœur vers la porte.
Maman en fauteuil roulant, descendant la rampe. Bientôt,
le vol sera terminé, je me dis ; bientôt je devrai regagner
mon corps et tout redeviendra réel ; une dernière fois
mon corps plisse les yeux, juste un peu.

Assise à l'avant de l'ambulance, je contemple l'asphalte
qui disparaît sous le capot. Ma tête se balance, je dois me
tenir dans les virages. Qu'est-ce qui va venir, maintenant?
La route défile ; je sais que maman dort à l'arrière, surveillée
par un urgentiste. Dormir, dormir. Je ne la connais presque
plus qu'en train de dormir. Je voudrais tellement dormir,
moi aussi. La retrouver dans mon rêve et ne plus jamais me
réveiller, ne jamais arrêter de rêver. Rêver plus longtemps,
avec plus d'élégance et de maturité. Rêver de romans en
série, où les histoires se poursuivent sans cesse, où tout est
possible. Il nous suffit de raconter nous-mêmes les histoires.
Ce ne serait que longues chevauchées, vols, téléportations.
Je vote également pour l'invisibilité, et une bande sonore
adaptée. On pourrait y effectuer toutes les coupes que l'on
veut. Cut : changement de décor ; là-dessus des dialogues
rigolos et des gens beaux, des fleurs, du parfum, de la
lumière. Des histoires de cavale, avec résolutions de mys-
tères et aventures farfelues. Il n'y aurait pas de problèmes,
dans ces histoires, ou bien seulement des problèmes dont
on a envie parce qu'ils sont captivants ou drôles. Aucun,
du moins, qui désespère, qui fasse fondre ou glace d'effroi.
Seulement des trucs idiots du type : tu veux faire une pâte
à gâteau, et faut reprendre le sac de farine au singe. S'ensui-
vrait une course-poursuite complètement farfelue à travers
le vieux duché de Râlbanie. Des trucs dans le genre.

Et on choperait le singe riant, on récupérerait la farine
et on ferait une pâte avec. C'est juste un exemple, là.
Ce serait des histoires dans lesquelles on a réponse à tout,
où on aurait les poches pleines de miel, où toujours brille-
rait le soleil – sauf quand on veut faire un feu de camp.
Des histoires sans fin. Dans mes rêves, ce serait presque
toujours l'été, comme maintenant, mais complètement
différent sinon. Et on serait toujours ensemble.
Je ferme les yeux et j'entends : l'ambulance, la rue, un peu
de circulation, la radio qui craque et coasse. Le conducteur
qui fredonne à voix basse. Il faudrait pouvoir dormir plus
profondément, sans compromis aucun ; peut-être qu'alors,
si vraiment on dort jusqu'au bout, la vie s'estompe et le rêve
devient réalité. Il faudrait pouvoir renverser l'ordre
des choses : dormir comme on est réveillé, être réveillé
comme on dort. Comme un arbre en hiver laisse tomber
ses feuilles et relègue ses forces vers l'intérieur : voilà
comment il faudrait procéder. Se retirer et continuer à vivre
en soi. Vivre dans le tronc, et, plus profondément encore,
dans la terre, dans le lacis des racines.

Chapitre 16
FIDÈLE COMME UN CHIEN

Maman dort, dort et dort. Elle ne s'est pas réveillée
une seule fois depuis qu'elle est à l'hôpital. Je reste près
d'elle. Papa et Ludmilla peuvent bien dire ce qu'ils veulent,
je ne m'éloignerai pas de ma mère. Retourner à Plastic-Land
ou en Râlbanie, pour quoi faire?
Pourquoi dormir, me reposer, prendre un repas chaud? Plus
rien n'est important. Rien de ce dont on a soi-disant besoin.
Rien de ce qu'on appelle le « quotidien ». Il n'y a pas
de quotidien. Ne serait-ce que parce qu'il n'y a pas de mot
pour désigner le contraire de quotidien – sauf peut-être :
ma vie. À la fenêtre, la météo vacille ; dans le lit voisin,
une dame âgée halète comme un bœuf, mais elle va sortir
un jour. Pour tous les autres, la vie continue.
Puis Lars arrive. Il se tient en travers sur le pas de la porte,
fleurs cueillies à la main, les yeux ronds comme des billes.
Il dépose son énorme sac à dos par terre, contre le mur.
– Salut...
– Salut.
Il vient s'asseoir près de nous. Il fait craquer ses doigts,
les yeux baissés vers ses pointes de pied.
– Quelle merde, dit-il.
Oui. Et on fond en larmes. On regarde maman en pleurant.
– Viens, dit Lars, on va se promener, Greg nous attend en bas.

Et ça, c'est la première proposition raisonnable.

Une promenade. Pas de « Repose-toi » ou de « Va te changer les idées » ; juste quelques pas dehors, devant l'hôpital.

Une balade sans palabre. Que des pas et des trucs de chien. Des séances de reniflement, de gigotements de queue, d'aboiement, d'urine. J'embrasse maman sur le front, lui chuchote : « Je reviens », mets les fleurs dans le verre d'eau que maman ne boit de toute façon pas.

Greg pète les plombs. Il n'est au courant de rien, se contente du plaisir de voir la porte s'ouvrir et deux personnes qu'il connaît et qu'il aime en sortir. Pour Greg, le monde est sans doute magique. Les gens vont et viennent, les portes s'ouvrent et se ferment ; on vous met dans une cage ronflante, on vous y laisse attendre et haleter, et quand on vous en fait sortir, vous êtes ailleurs, dans une autre région du monde, les odeurs sont différentes et on n'a pas encore pissé partout. Les chiens peuvent-ils être tristes? Je veux dire : les chiens connaissent-ils le deuil? Les chiens peuvent-ils aimer?

– Ils peuvent aimer, les chiens, en fait? je demande.

Le gravier du chemin du parc de l'hôpital crisse bruyamment sous nos semelles. Greg aboie après les canards, fonce, queue remuante, vers la rive du petit étang brun.

– Évidemment, assure Lars.

– Mais si tu en venais à disparaître pour toujours, là maintenant, est-ce que Greg serait triste?

– Bien sûr!

– Mais s'il allait chez mon père, qui le nourrirait, s'occuperait de lui et le sortirait, est-ce qu'il serait quand même triste? Tu ne crois pas qu'il t'oublierait en deux temps trois mouvements?

– Peut-être, grogne Lars.

Greg fuse entre nos jambes comme une flèche, tout excité ; il nous tourne autour puis va pisser contre une haie, haletant.

– Ce n'est peut-être pas de l'amour, murmure Lars. Et en même temps si, ça en est : je pense que Greg nous aime, toi et moi. À sa manière de chien, justement. Pas comme nous. Mais tu sais bien comme les chiens savent renifler, sentir et entendre? Je ne peux pas imaginer que la disparition brutale de leur plus grand ami passe inaperçue.

– Mais un chien ne peut jamais être malheureux au point de ne plus vouloir vivre. Si?

– Je ne crois pas, concède Lars, mais peut-être que si.

Il cligne des yeux vers le ciel, qui est d'une clarté inouïe.

– Faudrait être un chien, je murmure.

– C'est le cas, d'une certaine façon.

– Comment?

– Les gens disparaissent, mais les chiens aussi. Ils meurent, ont un accident, tombent malades. Nous quittent.

Ils étaient encore là, et d'un coup ils ont disparu. Tu as beau les aimer, ça n'y change rien : ils s'en vont. Et d'autres chiens vont venir. Parce que la vie continue. Tu t'habitues à ces nouvelles bêtes. Tu commences à les aimer. Et ça se poursuit *ad vitam æternam*. C'est comme ça. Comme toi et moi. Et Greg. Et Basil. Et tous les autres. Indéfiniment. Jusqu'à ce qu'un jour ça s'arrête.

– Mais c'est horrible!

Lars hoche la tête.

– Et beau en même temps, dit-il. Possible que Greg m'oublierait si je n'étais plus là demain. Mais pour l'instant je suis là, et je représente son chez-lui. Et ça, ça restera toujours en lui.

Greg crotte sur le trottoir, tranquille, puis se remet à courir, comme libéré d'un énorme poids, chassant à travers le parc, sans but, savourant sa vitesse.

– Peut-être que sur ce coup, Greg a de la chance, estime Lars. Que les sentiments fonctionnent mieux chez lui que chez nous humains.

– Je ne comprends pas.

– Sur le fait qu'il ne se noierait pas dans le chagrin si... s'il m'arrivait quelque chose.

– Mais c'est triste, quand même! je dis. Parce que ça signifie qu'il ne t'aime pas vraiment. La quantité de tristesse est proportionnelle à la quantité d'amour, non?

Lars réfléchit tandis que Greg se roule dans l'herbe.

– Je ne sais pas. Greg est tellement... fidèle. Ce n'est pas parce qu'il ne pleure pas que... Je crois simplement que ses sentiments ne fonctionnent pas pareil que les tiens ou les miens. Mais pas mieux ni moins bien.

Tu comprends?

Je hoche la tête.

– Greg ferait tout pour moi, il m'accompagne partout.
C'est ça, son amour. Il ne parle pas, hein. Et il ne peut
ni rire ni pleurer. Mais il est fidèle.
– Toi aussi, je dis.
Le regard de Lars grimpe vers mon visage, redescend vers
ses pointes de pied, puis de nouveau vers mon visage puis
à nouveau vers ses pointes de pied.
– Fidèle comme un chien, je dis.
– Toi-même, rétorque Lars.
Je m'assois sur les cailloux poussiéreux. Lars balaie
les environs des yeux avant de faire de même.
Les vieux, les malades et les visiteurs déambulent tranquil-
lement dans le parc, certains poussés en fauteuil roulant.
Greg se précipite sur nous, presse sa truffe humide contre
mon cou. Il est tellement joyeux, heureux, léger. Un chien
svelte et hirsute. Mille fois plus intelligent que moi.
Mille fois plus apte à vivre. Il a sa place dans l'univers
aux côtés de Lars. Moi aussi, je veux une place.
Je pose ma tête sur l'épaule de Lars.
– Faut que je remonte voir maman, je dis.
– Je sais. Je t'accompagne.
Je le sonde du regard. Il confirme d'un signe de tête.
– Mais vous vouliez aller en forêt demain. La survie et tout ça.
– La survie, c'est ici, maintenant, réplique Lars.
Je plisse les yeux. Le soleil a beau être à cent cinquante
millions de kilomètres de distance, il ne m'en chatouille pas
moins le nez.
– Non. Va dans la forêt. De toute façon, je passe mon temps
à attendre.
– J'attendrai avec toi. Attendre ensemble, c'est mieux que seul.
– Va en forêt! Je t'appelle si j'ai besoin de toi, vraiment.

Vois comment on survit en forêt, et raconte-moi. Faut que tu parcoures le monde et que tu vives pour me ramener des choses du dehors.

– Mais je veux être près de toi!

– Lars, tu es de toute façon près de moi. Toujours. Même quand tu vas dans la forêt. Je préfère, vraiment! Et Greg aussi préfère aller en forêt.

– Je passe te voir demain après l'école, je te ramène ton bulletin. Et puis après j'irai peut-être, OK?

Remuement de queue. Halètements. Lars gratouille Greg.

– OK, je dis. Faut que je remonte, maintenant.

– OK.

Quand je remonte, maman dort toujours.

Chapitre 17

MAINTENANT OU JAMAIS

Elle ne se réveille pas. Elle est perdue quelque part dans ses rêves. Je reste là à attendre. Plus rien n'a d'importance. Aujourd'hui, c'est le dernier jour de cours, ça n'intéresse personne. Moi, ça ne m'intéresse pas. Le bulletin?

Laissez-moi rire. Des chiffres inscrits sur une feuille
de papier, je ne peux rien imaginer de plus insignifiant.
Soudain la porte s'ouvre, et Ludmilla apparaît dans le monde
devenu hôpital ; deux petits ciseaux à ongles cliquettent
dans sa main, homard au corps beaucoup trop gros.
On coupe les ongles des doigts et des orteils à maman ;
à deux reprises pendant l'opération, elle se réveille brièvement et se rendort aussitôt. Sans un mot. Je pleure, aussi
doucement que possible, récupère respectivement un ongle
de main et de pied, les fixe, mains tremblantes, sur
un petit morceau de carton à l'aide de scotch. Date, lieu,
classeur. Preuves supplémentaires que ma mère a vécu.
Plus tard, on se retrouve dans la clarté du dehors.
De l'index, Ludmilla tapote sa cendre dans un cendrier
maçonné dans le mur tout en me sondant du regard.
Je plisse les yeux avant de les fermer complètement, et lève
la tête vers le soleil. Vois rouge. Je voudrais partir, très loin,
voudrais savourer des gâteaux, du chocolat chaud
et des orgies de petits déjeuners avec ma famille normale
et ma mère en bonne santé ; je veux avoir quatre ans et une
vie en ordre qui ne se compose de rien d'autre que de trois
brosses à dents, d'histoires du soir et de gym de canapé.
– Ludmilla? je demande, la tête inondée de rouge derrière
mes paupières closes.
– Oui.
– Dis-moi la vérité : tu sais faire de la magie?
Je rouvre brusquement les yeux, la dévisage.
– Je t'en prie, dis-moi la vérité. On n'a plus de temps
à perdre, regarde-la. Si tu sais quelque chose, si tu peux
quelque chose, alors fais-le maintenant. S'il te plaît.

Je sens, à nouveau ou encore, les larmes ruisseler sur
mon visage.

– S'il te plaît, Milla, s'il te plaît!

Ludmilla me contemple, hagarde. Mon corps me fait l'effet
d'une piqûre de moustique juste avant qu'elle ne se mette
à démanger.

– C'est maintenant ou jamais!

La bouche de Ludmilla s'étire lentement, jusqu'à former
un point rouge pâle.

– Peut-être un peu, chuchote-t-elle, triturant son mégot
contre le rebord du cendrier.

Elle l'éteint lentement. Élégant. Étrange. Que quelqu'un
puisse se donner tant de mal à éteindre joliment
une cigarette. Elle renifle, me regarde. Une fois, très vite,
ses épaules tressaillent.

– On va essayer.

J'embrasse le front froid de maman qui ne se réveille pas,
puis on se met en route. Avec la trottinette électrique.
Direction : les jardins d'ouvriers. Dans l'empire de Ludmilla.

Elle s'y est acheté une cabane. À quinze minutes d'ici,
affirme-t-elle. Pourquoi n'y suis-je encore jamais allée?
– Je peux t'aider?
– Chuuuut! fait Ludmilla.
Assise sur le petit banc en bois sous la fenêtre, je balaie
du regard la chaumière de sorcière. Ludmilla feuillette
rapidement de minuscules livrets en chuchotant dans
sa barbe, elle paraît concentrée. Ça me fait penser
aux maisons de poupée, ici ; tout, dans la maisonnette
de Milla, me paraît légèrement plus petit que dans la réalité.
Tout semble plus concentré que dans le reste du monde.
C'est à la fois si minuscule et si complet qu'il suffirait
de penser très fort à quelque chose pour que, tournant
la tête, on voie apparaître la chose en question.
Ludmilla presse les touches de son portable qu'elle porte
à son oreille, dit quelque chose en polonais. Puis elle attend
– probablement qu'elle a demandé à parler à un certain
interlocuteur qui est en train d'être cherché.
Elle me regarde, fait des signes que je ne comprends pas.
C'est du polonais, ça? Puis elle commence à parler :
– Blatchich bloubloutcheviyovitch, tchechtche sum.
Un truc dans le genre. Elle explique quelque chose, puis fait
« Ah! Mmmm, tak tak! » tout en prenant des notes
sur un bout de papier.

Je froisse du vieux papier journal, pose des brindilles
dessus, allume un feu. Ludmilla déambule dans sa jungle
de six mètres carrés, fredonnant à voix basse. Ici et là elle
s'immobilise, susurre quelques mots à ses feuilles, se balançant sur ses pieds d'avant en arrière. À l'aide d'une faucille,
elle coupe dans les buissons et s'en excuse auprès

des plantes. Elle revient vers moi munie d'une botte
d'herbes et me la pose sur les genoux avant de repartir ;
je reconnais du romarin, de l'ellébore, des fleurs de giroflée,
pas le reste.

– C'est quoi, tout ça? je m'écrie dans son dos, agitant
les cinq herbes inconnues.

Ludmilla s'agenouille sur le sol, creuse et en extirpe
de longues racines ; elle se retourne vers moi brièvement,
le doigt sur la bouche. Interdit de parler. Règle numéro un
lors de la préparation de substances magiques :
se concentrer pleinement sur ce que l'on fait.

Devant nous, sur le feu, une vieille marmite toute rouillée.
Un bouillon mijote à l'intérieur ; assises en tailleur,
on contemple le gargouillement. Et ça, c'est le moment
où je me mets à pleurer un peu, où Ludmilla enroule son
bras autour de mon épaule sans dire un mot, et où je vais
rapidement mieux : elle m'attire à elle, enfouit mon nez
et ma bouche dans son cou chaud, sa peau douce. Je me
souviens à quel point l'odeur de Ludmilla m'était étrangère,
au début. Pas désagréable, seulement étrangère, très diffé-
rente de celle de mes proches. Aujourd'hui, j'ai l'impression
que cette odeur m'a toujours entourée. Ludmilla touille,
hume, hoche la tête. Me sourit. Puis disparaît dans
sa maison sans dire un mot. Elle en revient avec un flacon
et une pipette qu'elle plonge dans sa potion.

Elle en inspecte la couleur à la dernière lueur du jour,
puis transvase le breuvage dans le flacon.

– On peut y aller, annonce-t-elle enfin.

L'hôpital. Milla allume la lampe de chevet. Maman dort.
Je caresse son visage de ma main. Elle ne se réveille pas.
Ludmilla a déjà le flacon de potion en main ; elle en dévisse
le bouchon et appuie sur la pipette. Quelques gouttes
de potion magique.

– Ouvre sa bouche.

– Elle ne peut pas avaler... je chuchote.

– Pas grave. La potion va pénétrer par les muqueuses.

Avec précaution, j'ouvre la bouche de maman, et Ludmilla
laisse couler exactement dix gouttes sur la langue sèche.

– Pas plus? je demande.

Milla noche.

– Pas plus, confirme-t-elle, m'examinant avec sérieux. Soit
ça marche, soit ça ne marche pas.

Papa passe sa tête par la porte de la chambre.

– Terminé? demande-t-il.

– Oui, dit Ludmilla qui revisse le bouchon et prend la porte.

Avant de sortir, elle se tourne une dernière fois vers moi.

– Allons, viens.

– Je reste ici.

– Non, dit Ludmilla. Il faut la laisser seule.

– Pourquoi?

– Sinon ça ne peut pas faire effet.

Elle souffle fort.

– Je ne peux pas m'en aller maintenant, je dis, mais je resterai silencieuse.

– Non.

– C'était ta potion la plus puissante?

– Oui, confirme-t-elle. Malheureusement, oui.

Puis elle tourne les talons.

– Mais elle n'est pas si légère, affirme-t-elle encore.

Chapitre 18

LA VIE BAT SON PLEIN

Vitres embuées, vapeurs de nourriture, assiettes à soupe
et cris de bébés. Mon père se meut à travers la cuisine,
fredonnant des chansons de qualité douteuse. Je suis
installée sur le canapé, ma nuque repose sur le zèbre,
le zèbre sur l'accoudoir.

COURTE PARENTHÈSE
LEXICALE   *Zèbre, peluche de l'homme*

Je mâche un chewing-gum. Ma tête se redresse et s'abaisse
à chaque mastication. Ananas, cannelle, menthe.
Je me lève, vais vers le frigo, contemple la sculpture. Retire
le chewing-gum de ma bouche et le balance en l'air, sur
le monument. On dirait une coupe, la coupe du monde
des souvenirs.
Je me rassois sur le canapé. Repose ma tête sur le zèbre,
dirige mes yeux vers le mémorial.
– Fatiguée, hein? me fait LdK, déboutonnant sa chemise,
sortant sa poitrine.
– Mmm, je fais.
Ludmilla coupe du pain, l'eau pour le thé bout. Greg
réchauffe mes pieds. Le téton de flamant rose disparaît
dans la petite bouche de Théo, telle une brique de Lego.
On sonne à la porte, Greg se lève d'un bond. Mon père hisse
une énorme marmite sur la table avant de courir vers
la porte. C'est Lars. Théo prend sa tétée, Ron brame.
De l'agitation. Il se passe tellement de choses en même
temps, ici. La vie bat son plein. Seuls moi et le zèbre
ne faisons rien. Lars s'affale à côté de moi sur le canapé,
la queue de Greg s'agite contre ma jambe, me faisant

frétiller de haut en bas, comme un bateau pneumatique battu par la houle. Lars m'observe.

– Hmm?

– Hmm.

La truffe humide de Greg glisse entre mes genoux et contre ma main. « Allez, fais-moi des papouilles! » ça veut dire.

À un rythme de tortue, je caresse le museau du chien.

– C'était comment, dans la forêt?

– Super! Faut que tu nous accompagnes la prochaine fois.

J'acquiesce avec lassitude.

Lars raconte la construction du pont, la pêche, le feu de bois et le repas de lombrics. Papa distribue le riz au lait, l'épice abondamment de cannelle et me tend une assiette.

– Réconforte l'âme, susurre Ludmilla.

– Beurk! je fais.

– Allez! insiste-t-elle.

Papa s'assoit près de moi, m'embrasse sur le front.

– C'est chouette que tu sois là, dit-il.

C'en est trop. Je ne supporte pas cette vie qui bat son plein. Je me lève, sens les regards braqués sur moi ; le zèbre me fait un clin d'œil et on s'en va tous les deux. On monte au grenier, vers Râltropolis, vers le musée de Klara. Du riz au lait!

C'est bien un repas de flamant rose, ça.

Chapitre 19

CONCENTRÉ DE MAMAN EN POT

La vie de ma mère, c'est une montagne de choses entassées dans un vieux grenier spacieux. Il me faut douze pas pour en faire le tour complet. Les souvenirs se bousculent dans mon esprit, m'assaillent de toutes parts. Sur le point de m'asseoir, je vois la boîte du haut, un carton de couleur mauve, le paquet maxi-format de protections hygiéniques pour adultes. Je la retire du tas, la pose devant moi, en soulève le couvercle. J'en sors : des avions en papier, des lettres, une carte au trésor. Une couche – c'est comme ça que ça a commencé. Un pinceau, une boîte en métal rouge foncé, les plans de construction de Basil, les premiers projets de conditionnement de notre glace. Le lacet de l'été dernier, probablement le dernier lacet de maman. C'est avec lui que la collection a commencé, à vrai dire. Je vais chercher un bout de papier cartonné, note dessus : « la dernière fois qu'un lacet a rompu », inscrivant la date et le lieu, et je colle la moitié de lacet dessous. Sur un plus gros morceau de papier cartonné, j'écris en lettres capitales : **KLARA-MUSEUM →**

ÉCHARPE PROTECTRICE DE KLARA, ACQUISE À L'ORIGINE SUR UN MARCHÉ AUX PUCES. POSSÈDE ÉVENTUELLEMENT DES POUVOIRS MAGIQUES, CAR AYANT SÛREMENT APPARTENU À UN ENCHANTEUR.

PEUT-ÊTRE QU'ELLE PEUT GUÉRIR OU PROTÉGER. PEUT-ÊTRE QU'ELLE CONFÈRE DE L'ÉNERGIE. EN TOUT CAS, ELLE MESURE 2,80 MÈTRES ET RESSEMBLE À UNE CAPE DE SUPER-HÉROS.

KLARA-MUSEUM

Me postant devant la porte encore inexistante, je saisis l'un des gros cartons et je monte dessus. Je n'atteins même pas le sommet. Je pose un deuxième carton sur le premier et parviens ainsi à accrocher le papier cartonné au-dessus de la porte. J'ôte l'écharpe XXL de mon cou et la fixe juste en dessous, laissant les bouts pendouiller des deux côtés jusqu'au sol comme des rideaux de laine enchantés. Peut-être qu'on est bénis quand on passe en dessous, comme à l'entrée d'une chapelle. Je transbahute mon matelas à l'intérieur du Klara-Museum, vais chercher deux couvertures, m'allonge. Je contemple la montagne de choses. Juste sous mon nez, il y a la réserve d'ADN. Un concentré de maman en pot. L'année dernière, Lars et moi étions chez Basil par une journée d'hiver et nous avons regardé le film préféré de Basil, *Jurassic Park*. Des scientifiques y trouvent une pierre d'ambre avec un moustique dedans qui a piqué un dinosaure il y a x millions d'années. Ils percent la pierre et aspirent le sang de dinosaure du corps du moustique. Un pur ADN de dinosaure, à partir duquel les scientifiques peuvent créer de vrais dinosaures. Et c'est exactement ça que j'espère pouvoir faire avec ma réserve d'ADN de maman.

Je dévisse le pot et pose mon oreille dessus. Soi-disant qu'on entend le bruissement de la mer quand on pose son oreille sur un gros coquillage. Peut-être vais-je entendre le doux battement du cœur de maman, ou son souffle? Mais il n'y a là que les cris de mes petits frères assourdis par la cloison.

Et puis Lars et Greg viennent me rejoindre. Lars déroule son sac de couchage et s'étend près de moi.
– Tu peux venir sur le matelas, je dis.
– Non, dit Lars. Faut que je m'endurcisse.
– OK.
Greg se love entre mes pieds. Je tapote doucement le pot de confiture.

Chapitre 20
PAS RAPIDE DU TOUT

Cinq heures moins vingt. Dehors, il fait encore sombre, mais je n'arrive plus à dormir. D'ailleurs, est-ce que j'ai vraiment dormi? Une nuit sans rêve, les lèvres sèches. Lars mâche l'air qu'il expire par saccades. Je me lève, aussi doucement et silencieusement que possible, j'avance à tâtons dans le bleu marine. Greg se réveille, bien sûr, et suit mes faits et gestes. Je m'habille, me dirige vers l'échelle qu'il ne peut pas emprunter seul. Il se lève et me voit disparaître ; indécis, il agite la queue, regarde autour de lui, presse encore sa truffe contre mon visage en guise d'au revoir.

Mes genoux dansent. Je traverse à vélo le petit matin vide. Les oiseaux, réveillés, appellent le soleil. Ce dernier jette effectivement une pointe de rouge derrière les immeubles surplombés de bleu repu. Je fonce vers maman, mon record est à vingt-trois minutes. Si j'y parviens en moins de vingt-trois minutes, alors...

L'hôpital, situé sur une grande rue et entouré de forêts, évoque l'un de ces hôtels comme il y en a sur chaque plage. Sauf que maman n'est pas en vacances. Je parcours la côte de l'entrée à toute allure, freine, descends de vélo, les poumons brûlants. Je consulte ma montre. Dix-neuf minutes! Si... alors.

La porte électrique s'ouvre dans un tressaillement, la dame
de la réception me connaît. Hochement de tête. Ascenseur.
Quatrième étage. Mon cœur roue mon ventre de coups.
Parvenue devant la chambre de maman, je m'immobilise,
pose la main sur la poignée, prends une dernière grande
inspiration.
Maman est réveillée.
Elle tourne la tête vers moi, très lentement, les yeux
ouverts.
Elle est réveillée.
La potion a fait effet.
Ludmilla est magicienne.
Je rampe dans le lit de maman, l'enlace, la presse contre
moi, l'embrasse.
— Tu es revenue, je dis.
Et je lui raconte la potion magique.

– Dis quelque chose!

Et les lèvres de maman bougent lentement. Elle expire
les mots :

– Viens... près... moi près.

Depuis le couloir, j'appelle Ludmilla.

– Maman s'est réveillée! je hurle quand elle décroche enfin.
Ça fait un moment déjà que maman s'est rendormie. Ludmilla
ne dit rien.

– Je lui en donne plus? je demande.

– Non, répond Ludmilla. Non, non : ça n'aura aucun effet,
ça ne fonctionne qu'une fois. Comment va-t-elle?

– Ma foi, elle est restée réveillée vingt minutes environ,
elle respirait difficilement. Elle a parlé, mais ça la fatiguait
beaucoup.

– Mmm.

– Ça a marché!

– Oui.

– Qu'est-ce qu'on fait, maintenant?

– Je ne sais pas, murmure Ludmilla.

– Faut continuer! je m'exclame. Allez, tu connais sûrement
d'autres potions... Réfléchis! Appelle en Pologne!

– Pour l'instant, on ne peut rien faire, Lara.

– Si!

– Faut attendre.

– Je n'ai pas le temps d'attendre, dis-je en raccrochant.
Qu'est-ce qui pourrait aider? Qu'est-ce qui pourrait renforcer
l'effet de la potion? De quels ingrédients a-t-on besoin?
Je vais trouver un truc. Concevoir. Inventer. Quelque chose
va bien finir par faire effet, puisqu'elle a réagi une fois.
Peut-être qu'on a enfin trouvé le bon moyen, peut-être que

cette fois on est près du but, qu'il suffit d'améliorer
la chose légèrement ! On n'a pas de temps à perdre – il faut
agir, continuer à y croire, il faut le vouloir, il faut vouloir
le vouloir. Tous ensemble. Je vais montrer la voie. Je suis
la plus grande vouleuse du monde.

Entre le matin et le milieu de journée, maman s'est réveillée trois fois : la première fois dix-sept minutes, la deuxième quatre, et la troisième neuf. Vers huit heures, l'infirmière entre dans la chambre et ouvre les rideaux d'un coup sec.

– Bonjour! chantonne-t-elle.

Maman dort. Je me lève dans un grognement, l'infirmière retourne la couverture de maman et contrôle la position des câbles et des tuyaux.

– Elle s'est réveillée, je lui annonce.

Maman dort. L'infirmière regarde.

– Vraiment?

Je confirme de la tête.

– Combien de temps est-elle restée réveillée?

– Presque vingt minutes.

– Elle a parlé?

Je hausse les épaules.

– Un peu.

Elle change la poche d'urine sur le côté du lit.

– Je vais en informer le médecin, dit-elle.

Fixe la nouvelle poche. Recouvre maman.

Lars arrive peu avant treize heures, chargé de chocolat chaud, de hamburgers et d'une mini chaîne hi-fi.

Agenouillé devant la prise près du lit, il branche les
enceintes. Son lecteur MP3 est posé sur la table de chevet.
– J'ai une faim de loup, déclare-t-il. J'ai couru toute la matinée.
Il me sonde du regard, sourcils rapprochés.
– À quelle heure tu es partie ce matin? Aux aurores, hein?
Lars branche le lecteur, s'assoit près de moi, me fixant
toujours. Je ne peux plus dissimuler mon sourire.
– Qu'est-ce qu'y a?
– Elle s'est réveillée.
– Sérieux?
Signe de tête affirmatif. Lars me prend dans ses bras.
Il pourrait chialer.
Puis je raconte à Lars la ludmillicilline, la potion magique,
et conclus que je veux me mettre en quête de nouveaux
ingrédients.
– Je vais t'aider! s'écrie-t-il.
Il n'a pas besoin de le dire. Je le sais.
– Et au fait, tu viens avec nous dans la forêt, cette fois?

Mon regard se pose sur maman. Je réfléchis, secoue la tête.

– Je ne crois pas.

Puis je m'empare du lecteur MP3 et actionne un tas
de touches.

Lars froisse le sac en papier, me tend un hamburger, sort
le sien, mord dedans.

– C'était comment, cette dernière journée? je l'interroge.

– T'as rien loupé, répond-il la bouche pleine. On a fait des jeux
et regardé des films. Il n'y a que madame Ragoulière qui a vraiment fait cours. Et Mouche... ben, il nous a rendu les lettres.

– Sérieux?

Signe de tête. En quatre bouchées, il a englouti le burger.
Sa main continue de froisser le sachet. Il en extirpe
un deuxième burger, l'entame.

– Et combien t'as eu? je demande.

Il hausse les épaules, prend une nouvelle bouchée, pose
le burger de côté.

– Sais pas.

Il fouille dans son sac à dos. Mastique, avale, sort
deux grosses enveloppes brunes qu'il jette entre nous.

– C'est quoi?

– Quwa?

Ça me fait rire.

– Pourquoi tu manges si vite, en fait?

– J'aime bien avoir la bouche pleine de burger. C'est juste
meilleur! Et ça me rappelle chez moi, d'une certaine façon.
On a toujours mangé comme ça, très vite.

– OK.

Sur l'enveloppe du dessus, il y a mon nom, mon nom complet
(ça rentre, donc) : Lara Maya Lilith Schmitt. Sur l'autre,
il est écrit : Lars Leforestier. Les deux sont fermées.

– Tu n'as pas encore regardé à l'intérieur?

Lars hausse les épaules et sort un nouveau burger du sachet. Il chiffonne le papier et le jette dans la poubelle avec l'assurance d'un basketteur.

– Je me suis dit qu'on pouvait faire ça ensemble, maintenant.

– OK, je dis. Mais on échange : moi, je lis ta lettre, et toi la mienne.

– OK.

Cher monsieur de Mouchamière,

Pour ma part, je vais bien. Vous aussi?
Je voulais vous écrire une lettre pour vous raconter ce que j'ai fait ces derniers six mois. Pas mal de choses se sont passées!
La plus importante : Lara et moi, on est devenus amis. Depuis que Lara est dans notre classe, tout a complètement changé pour moi. J'ai tous les jours un truc de prévu. On est très occupés, on a même des affaires d'agents secrets! On a ouvert un business de glace ensemble, et puis on construit des choses, on organise les livraisons, on bricole, on cuisine et on invente ensemble. Et puis on aide la mère de Lara. La mère de Lara est malheureusement très malade. Elle a une maladie qui la casse un peu plus chaque jour. La maladie n'est pas toujours là, elle va et vient, mais elle rend de plus en plus handicapé. Un jour, la mère de Lara sera paralysée. Elle risque aussi d'en mourir!
Quand j'y pense, ça me rend très triste. Des fois, je suis triste avec Lara, parce que je sais que c'est mieux d'être triste à deux que tout seul dans son coin.
Grâce à Lara, j'ai connu les autres : Louise, Pitt, Mina, Julius et Basil. Ce sont les amis de Lara de son ancienne école. On travaille tous ensemble au business, et ils sont aussi devenus mes amis. Surtout Basil. Vous savez que j'habite dans un foyer. Mais pendant les vacances, j'ai habité chez Lara. J'ai un chien qui s'appelle Greg

et qui était au chenil avant, mais lui aussi a eu le droit d'habiter chez Lara et il peut même rester pour toujours chez le père de Lara.

À part cette chose très triste avec la mère de Lara, je vais vraiment bien. Mieux qu'avant. Parce que j'aime bien aider. Et j'aime bien faire plein de choses. Et j'aime bien inventer. Et on fait tout ensemble, on est de vrais amis. Cette année, c'est la troisième fois qu'on fête mon anniversaire. L'année dernière, on était à la mer et on est allés voir un spectacle de Monster Trucks. Et l'année d'avant chez Mc Do. Cette année, Lara planifie une journée d'anniversaire pour moi. Comme cadeau. Il me tarde !

Le moment le plus chouette de ces six derniers mois, c'est peut-être quand la mère de Lara est revenue de cure. Elle était presque guérie, ou du moins, elle allait beaucoup mieux. Je me souviens, on était en train de cuisiner à Château-Plastique, une chanson est passée à la radio et on a un peu dansé. Pas longtemps, mais vous imaginez ? La mère de Lara était déjà en fauteuil roulant avant la cure. Et tout à coup, la voilà qui danse dans la cuisine ! Là, tous les trois ! On en a presque pleuré, tellement on était contents.

Mais il y avait aussi un autre beau moment. Peut-être pas aussi... grand ou important, mais j'ai eu une impression vraiment chouette. C'était avec Basil. Un jour, il m'a appelé juste comme ça et m'a proposé de venir chez lui. J'y suis allé, et on a d'abord mangé

une glace dans le jardin, sur des chaises longues (j'adore manger
allongé, et Basil aussi). On a regardé le ciel. Et c'était en fait
la première fois que quelqu'un m'a demandé pour ainsi dire en premier si je voulais bien être son ami. Pour Lara, c'est moi qui avais
sonné chez elle et lui avais demandé si on pouvait aller ensemble
au collège ; et avant ça encore, en fait, je n'avais pas d'amis.
Les parents de Basil ont un jardin énorme, une petite forêt.
Basil m'a montré ses outils et son équipement, et on a commencé
à construire un mobil-glace pour notre business. Je fais plein
de trucs avec lui. Il m'aide beaucoup dans l'affaire. Il est toujours
là quand Lara ne peut pas venir, à cause de sa mère par exemple.
Les autres aussi sont là, Louise, Mina, Pitt et Julius, mais pas aussi
souvent que Basil, parce qu'ils font aussi du sport, jouent
des instruments et des trucs comme ça. Basil, il fait de la survie.
Ça veut dire survivre dans la forêt sans moyen. Il m'apprend comment on fait, il me dit tout ce qu'il sait déjà et comment ça marche.
On s'entraîne ensemble. Par exemple : comment faire du feu sans
allumettes ni briquet. Ou comment passer la nuit sans mourir
de froid. Comment construire une canne à pêche, un couteau
de survie, comment trouver de l'eau. Aussi comment s'endurcir,
et comment surmonter la nausée quand on n'a rien à manger. On
peut survivre en mangeant des vers ou des insectes, ça marche !
Il faut juste s'endurcir, et après on peut tout supporter.
Et le pire moment, c'était peut-être quand la mère de Lara a eu
une poussée, cet hiver. J'avais vraiment commencé à espérer qu'elle
resterait pour toujours en bonne santé. Mais ce n'est pas comme ça
qu'elle marche, la maladie. C'est ça, le truc vicieux : on pense que ça
va s'améliorer, et puis d'un coup c'est bien pire.
Ce qui est bizarre, c'est que les meilleurs et pires moments concer-
naient la mère de Lara. Et c'est aussi le cas avec Basil : avec lui

aussi, c'était le mieux et le pire. Il faut savoir que je n'ai jamais parlé à personne de ma mère et de mon père, ça ne regarde personne, c'est privé. À Basil, je voulais absolument lui raconter. Je voulais enfin en parler, tout lui dire, je me suis dit que j'allais le faire tout de suite, tout simplement, à Basil je peux lui raconter, c'est mon ami. Et alors j'ai commencé à lui raconter. Je ne l'avais encore jamais fait. Jamais. Même pas à Lara. Et puis finalement, au dernier moment, je n'ai pas osé. Du coup, c'est un peu comme quand on tourne dans la mauvaise rue et qu'on ne peut plus faire demi-tour : je lui ai menti, parce que j'avais peur... qu'il me trouve bête ou idiot.

En ce qui concerne l'avenir, j'ai très peur pour la mère de Lara. J'ai peur pour Lara aussi. C'est pour ça que je veux garder toute ma force pour elle. Pour la lui donner. C'est ça, mes plans pour la suite. Et puis continuer le business, bien sûr. Et je veux apprendre la survie. Et je veux bien travailler en cours, évidemment.

Je vous souhaite de très belles vacances, monsieur de Mouchamière. J'espère que vous recevrez beaucoup de courrier.

Lars Leforestier

PS : J'oubliais : Lara a eu des petits frères, des jumeaux, ils s'appellent Théo et Ron. J'aurais presque oublié, il s'est passé tellement de trucs. Donc, ils ne sont pas de sa mère, mais de son père et de sa nouvelle amie. Lara l'appelle le flamant rose. Je trouve les bébés hyper mignons, on dirait des louveteaux. Ils crient un peu beaucoup, mais sinon ils sont cool. Flamant rose est très sympa, mais on n'a pas le droit de faire trop de trucs avec elle, de lui parler, tout ça, parce que Lara trouve que ce n'est pas bien. Parce que ce serait un peu comme trahir sa mère.

Chapitre 22

LA LARSMOBILE

Moi sur mon matelas, emmitouflée dans des couvertures rêches. Matin blême, brouillard autour de Râltropolis. Soudain, du bruit, l'échelle bouge. Levant les yeux, je vois une tête bouclée sortir de terre : mon père, avec Théo et Ron. Ils ne sont encore jamais venus ici. Une des nombreuses règles du flamingo.

Mon père porte Théo sur son dos et Ron sous son bras droit. Il est debout dans la lucarne, la main agrippée à la barre la plus haute de l'échelle, et sourit largement au petit matin – c'est son habitude d'être de bonne humeur au réveil.

– Tu peux me les prendre? demande-t-il.

Les jumeaux sont relativement calmes, ils regardent autour d'eux. Peuvent-ils distinguer quelque chose, dans le fond? Ils ne voient pas bien loin, avec leurs yeux sous-développés. La distance d'une longueur de bras, environ. Ils attrapent leurs pieds, contemplent le plafond en pente et leurs petites bouches émettent des bruits incontrôlés. Mimis et démunis.

Papa referme la lucarne et va vers le Klara-Museum. Il tapote de dehors la cloison en bois, jette un œil par la porte.

– Dis donc, tu as déjà presque tout monté!

Je secoue la tête. Sûrement pas.

Il disparaît à l'intérieur du musée, je me lève pour le suivre. Il considère tout, immobile, puis commence lentement à faire le tour de la montagne d'objets. Il regarde sans toucher, garde automatiquement ses distances avec ces futures pièces d'exposition – même si pour l'instant, elles ne sont qu'éparpillées par terre comme un tas de feuilles mortes.

– Bon, on va commencer par les étagères! annonce-t-il.

Il agite son bras tendu à travers la pièce.

– Dis-moi comment tu imagines la chose!

On commence par esquisser des plans, puis on descend avec Théo et Ron et on prend le petit déjeuner. Ensuite, on monte des planches de bois à Râltropolis. On scie, on perce, on visse. Ça prend la moitié de la journée, voire plus, mais à la fin, les étagères sont bel et bien là.

Tandis que papa ronronne sur le canapé, Greg sur son ventre, je prépare des super tartines.

– Papa?

– Oui?

– C'est l'anniversaire de Lars, la semaine prochaine.

– Je sais.

– Je voudrais organiser une fête. Ce serait une surprise. Dans le jardin de la Râlbanie. J'ai...

Je tripote la feuille de papier pliée dans ma poche de pantalon, la sors et la lui jette.

– J'ai fait une liste. J'aimerais que tout soit exactement comme sur la liste. Avec tous les invités. Gâteaux, musique, feu de camp, pain au bâton, Orâge Glacé et course en sac.

– Tu veux organiser une fête d'anniversaire? Toi?

Ça me fait sourire.

– J'adore les anniversaires.

– Je croyais que tu ne supportais pas ça!

– Qu'est-ce qu'on ne fait pas pour ses amis.

– Certes. Mais...

– Lars n'a encore jamais vraiment fêté son anniversaire!

Liste
s choses
o faire
pour →

LA FÊTE
DE LARS

≥ IMPORTANT ≤

* TRÈS IMPORTANT

- ☐ Râlnana-slurp (TRADITION)*
- ☐ COURSE EN SAC (IMPORTANT)
- ☐ Fleurs et table d'anniversaire (TRADITION)*
- ☐ L'orchestre bizarre (c'est la règle)*
- ☐ CONCOURS D'INGURGITATION DE PANURE (garder les restes de pain!)*
- ☐ BATAILLE DE PISTOLETS À EAU (Faut de toute façon arroser le jardin)
- ☐ BAR À TARTINES (PRÉSENTER DU PAIN AVEC DIFFÉRENTES SALADES, SAUCES, ET LES MEILLEURES BOULETTES VÉGÉTARIENNES DU MONDE. LE HAMBURGER-VOITURE : POURRAIT FACILEMENT SE FAIRE DANS LA LARSMOBILE.)*
- ☐ Sirop de sureau + eau gazeuse + jus de citron (RECETTE DU SIROP DE SUREAU FAIT PAR MAMAN ET LUDMILLA – 3 BOUTEILLES À CONSERVER → KLARA-MUSEUM) x3
- ☐ Baignade dans le lac accompagnée de glace* (POUR ÊTRE VENDEUR DE GLACE, IL FAUT ÊTRE MANGEUR DE GLACE, HAUTEMENT QUALIFIÉ!)
- ☐ AVIONS EN PAPIER ET VŒUX (TRADITION)
- ☐ Le soir, feu de camp et pièces radiophoniques, allongés dans l'herbe à contempler les étoiles.*
- ☐ PAIN AU BÂTON, PATATES, OIGNONS ET BANANES À CUIRE DANS LES BRAISES (en mode cow-boy)*
- ☐ Nuit à la belle étoile (si la météo est OK)

(NE PAS OUBLIER)

– Non?

– Pas comme on le fête en Râlbanie.

Il parcourt la liste sans rien dire.

– Pff, ça en fait, des choses! objecte-t-il avec un soupir.

– J'ai promis à maman.

Il hoche la tête, consulte à nouveau la feuille.

– Faut que maman vienne aussi, je dis. Faut qu'elle soit
présente, d'une manière ou d'une autre.

Papa me considère, l'air de dire : T'es pas sérieuse, là?!

Elle ne peut pas venir. Elle est à l'hôpital.

Il ne le dit pas. Pas la peine.

– Ça ne fait pas un peu beaucoup, tout ça? On pourrait
se contenter d'un truc plus petit, ce serait sympa aussi...

– Non. Ça doit être comme ça.

Je tapote la liste du doigt, genoux qui pétillent, naseaux
qui gonflent comme des sous-tasses.

– Maman et moi, on a prévu ça comme ça, alors ce sera
comme ça. Exactement comme maman l'a imaginé.

Juri approuve.

– OK. Bon ben, je ne suis pas sorti de l'auberge.

Il repousse doucement Greg pour s'asseoir. Il énumère :

– Course en sac, feu de camp, pistolets à eau, bar
à tartines... je m'en charge!

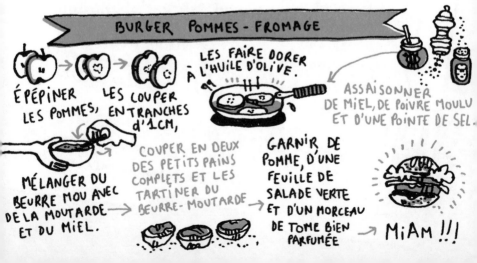

BURGER POMMES - FROMAGE

ÉPÉPINER LES POMMES, LES COUPER EN TRANCHES D'1 CM, LES FAIRE DORER À L'HUILE D'OLIVE. ASSAISONNER DE MIEL, DE POIVRE MOULU ET D'UNE POINTE DE SEL.

MÉLANGER DU BEURRE MOU AVEC DE LA MOUTARDE ET DU MIEL. COUPER EN DEUX DES PETITS PAINS COMPLETS ET LES TARTINER DU BEURRE-MOUTARDE. GARNIR DE POMME, D'UNE FEUILLE DE SALADE VERTE ET D'UN MORCEAU DE TOME BIEN PARFUMÉE. MIAM !!!

En guise de réponse, je lui glisse une super tartine en forme de grenade sur la table. Il l'a bien méritée. Il la saisit des deux mains. Mord dedans et pousse un profond soupir. Il mâche les yeux fermés, repose le pain. Déglutit. Me regarde.

– Une dernière chose encore, dit-il. J'ai pensé à un truc.

Il sourit.

– J'ai acheté une roulotte.

Il me la dessine en l'air des deux mains.

– Une bonne et belle vieille caisse en bois sur roues. Je me suis dit – si tu es d'accord – qu'on pourrait la mettre dans le jardin, entre le noisetier et le lilas, et... qu'on pourrait l'agrandir, la repeindre, et la rebaptiser... la Larsmobile.

– La Larsmobile?

Avec des hochements de tête frénétiques, papa expose son idée, ses mots se bousculent, se livrent à une course effrénée, se doublant sans cesse les uns les autres :

– Ce pourrait être la chambre de Lars, parce que j'ai réfléchi... Mais bon, je ne t'oblige à rien, c'est ta décision... qu'on pourrait proposer à Lars d'emménager chez nous, s'il veut bien vivre chez nous. Avec nous. On pourrait être sa famille d'accueil! Toi, moi, Lucy et les garçons. Il serait ton frère, si tu veux! Il vivrait avec nous. Comme ça vous seriez ensemble, toi, lui et Greg. Tu aurais le grenier, Lars prendrait la Larsmobile, et vous mangeriez et feriez votre toilette en Râlbanie! Vous pourriez aussi faire deux chambres dans la Larsmobile et transformer le grenier en musée, moi ça m'est égal, c'est comme vous voulez. Peu importe. Comme ça, tu pourrais retourner dans ton ancien collège. Lars aussi. Toute ta troupe.

Il en tremble d'excitation, ses yeux pétillent, ses paupières tressaillent de nervosité. Je pose la super tartine et le contemple. Cet homme qui est mon père. Il n'y peut rien, je me dis, il veut bien faire. Une belle idée.

– Oui, mais ce n'est pas possible, papa.

– Ah bon.

Sa respiration est plus rapide que la mienne.

– Pourquoi?

– Parce que j'habite à Château-Plastique avec ma mère, dont tu te souviens peut-être...

– Bien sûr, dit-il, et il se met à bredouiller. Mais je... j'aimerais tellement que tu reviennes vivre avec moi.

– Ça, il aurait fallu y penser avant.

Il grommelle quelque chose.

– Je ne vais pas déménager maintenant, je dis. Je ne vais pas m'enfuir juste parce que la vie devient un peu compliquée...

L'homme hoche la tête puis la laisse retomber. Ce qui signifie qu'il va se mettre à chialer.

– Mais je crois que Lars se réjouirait énormément, j'ajoute dans un chuchotement.

Théo babille, Ron fait de petits bruits mouillés. Étendus sur la couverture devant la grande fenêtre, ils essaient de se déplacer. Ils veulent avancer d'une manière ou d'une autre, mais ils n'y arrivent pas encore vraiment ; d'ailleurs ils ne sauraient pas où aller non plus.

Ils gesticulent comme des asticots à la lumière.

– On peut lui poser la question? demande papa, qui a repris le contrôle de lui-même.

– Bien sûr.

– Tu lui demandes toi?

Chapitre 23

MYRTILLES

J'attends Ludmilla. Enfin, je vois sa tête affublée d'écouteurs sautiller derrière le toit des voitures. Ludmilla se faufile dans le parking et se dirige vers moi. Quand elle m'aperçoit, elle se met à rire, retire ses écouteurs et me prend dans ses bras.

– Viens, on y va, déclare-t-elle, désignant la forêt.

On traverse le parc de l'hôpital. Greg papillonne autour de nous, tout excité ; quand on arrive à l'orée de la forêt, je préfère cependant le rappeler et le prendre en laisse.

– Dis-moi ce qu'on va faire, je demande à Ludmilla.

Il fait plus frais, dans la forêt. Un vert tendre et épicé.

Ludmilla sourit.

– Les myrtilles, dit-elle.

– Quoi, les myrtilles!?

– Ce qui peut éventuellement être utile, ce sont les myrtilles.

– Ça sonne comme de la grande magie.

– La brimbelle, murmure-t-elle avec importance.

Se penchant vers moi :

– Le bleuet, la gueule noire, le raisin des bois!

– Ça sonne déjà mieux.

– Faut traverser la forêt de bout en bout et trouver l'endroit où commence la mousse, tu vois? Tu sais où c'est?

Je secoue la tête. Elle tend le bras :

– Deux heures de marche dans cette direction. Je suis sûre qu'il y en a là-bas. Je n'y ai été qu'une seule fois, il y a de ça quelques années, mais il y en avait des seaux pleins, et de la meilleure qualité.

Ludmilla tourne et s'enfonce plus avant dans les fourrés.

– À quoi ça ressemble, les myrtilles? m'interroge-t-elle,
avec sa bouche de prof de danse.

– L'arbuste est haut comme ça à peu près, pas plus.
Je montre mon avant-bras.

– Et les feuilles...
Je réfléchis.

– ... lisses des deux côtés. Des fleurs blanches qui
ressemblent à de petites clochettes, et bien sûr des baies
sombres. Noires ou bleu-gris.

– Mmmm, fait Ludmilla.

Greg tire sur sa laisse, il a dû flairer un lapin.

– Oui, mais... je dis, tirant Greg à moi, suivant Ludmilla
en trébuchant,... elle a quoi comme effet, la myrtille?

– Elle agit de multiples manières, répond Ludmilla. Les baies
séchées et gonflées, cuites longtemps avec de la cannelle
et du clou de girofle, sont efficaces contre la diarrhée
et les maladies de l'estomac et des intestins. Le suc
de la myrtille absorbe les toxines et les élimine. Les feuilles
régulent l'appétit et ont un effet antispasmodique. On peut
pressurer les feuilles pour en recueillir le jus, qui guérit
la stomatite. Une fois, j'étais encore enfant, nos chèvres
sont tombées malades et on les a traitées de cette façon.
Le lendemain, elles étaient guéries.

J'acquiesce sans mot dire, je ne veux pas l'interrompre.

– Il faut régulièrement mastiquer et avaler des baies séchées
quand on a des problèmes à ce niveau-là, poursuit-elle,
la main sur le ventre.

Puis elle relève la tête et se saisit au cou.

– Et pour tout ce qui concerne les maux de gorge :
les gargarismes de jus de myrtille cru. Ça ne peut jamais

faire de mal. C'est également efficace contre les maux
de gencives. Contre les troubles digestifs, il faut boire
des gorgées réparties tout au long de la journée.
Les infusions de feuilles fraîches, massées sur le cuir
chevelu, aident à lutter contre la chute de cheveux.
– Mais elle ne...
– ... perd pas ses cheveux, je sais, dit Ludmilla. Mais
tu comprends?
Pas tout à fait.
– La baie de myrtille absorbe les toxines et les expulse
du corps. Ça, on peut essayer. Dans cette combinaison,
ça peut marcher...
– Encore de la ludmillicilline, je dis.
Ludmilla opine du chef. Puis hausse les épaules.
– On ne sait jamais, ça peut marcher, mais il nous faut tous
les ingrédients : les feuilles, les fruits et...
Elle prend une profonde inspiration, lève l'index.
– ... les racines!
– Ah.
Elle confirme d'un signe de tête.
– Avec tout ça, on peut faire du jus, du thé, de l'infusion, on
peut les faire sécher ou en faire des conserves, tu comprends?

PARENTHÈSE
LEXICALE

Myrtille (la)
(vaccinium myrtillus L.)

Récolte :
JUILLET

floraison :
MAI-JUIN

POUSSE DANS LES
FORÊTS, À LA LISIÈRE,
DANS LES TOURBIÈRES
PARTOUT EN
EUROPE.

– OK, je m'en occupe.

Ludmilla s'immobilise. Je fais deux pas supplémentaires avant de m'arrêter également. On échange un regard.

– Comment ça? Tu veux aller seule dans la forêt?

Je hausse les épaules. Bien sûr, si c'était nécessaire, alors je pourrais aussi y aller seule.

– Non, je réponds cependant. Avec Greg. Et Lars et Basil voulaient de toute façon y aller, dans la forêt, ils seront prêts à m'accompagner si je le leur demande.

– OK. Mais faites attention quand vous arrivez près du marais, d'accord?

– Bien sûr.

– Maman, je dis.

Sa bouche est ouverte.

– Je vais cueillir des myrtilles. Ludmilla pense que ça peut aider. Je rentre demain midi. Juste au cas où tu t'inquiéterais de savoir où je suis quand tu te réveilles.

Je l'embrasse sur le front.

– Dors bien.

C'est parti pour la forêt. Ludmilla s'occupe de Lenny et Roy et elle doit m'écrire s'il arrive quoi que ce soit avec maman. Je prépare mes affaires et hop! Chacun d'entre nous muni d'un petit sac à dos, on enfourche nos vélos, direction la lisière de la forêt. Trois sacs de couchage et une bâche

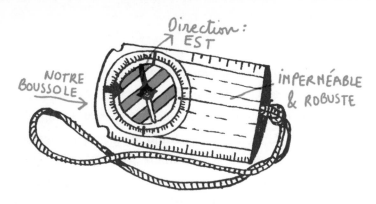

Direction : EST

NOTRE BOUSSOLE →

IMPERMÉABLE & ROBUSTE

imperméable super légère, de l'eau, des noix et noisettes, des couteaux.

– Et tu connais le chemin? demande Basil.

On foule le sol détrempé de la forêt, des brindilles crépitent sous nos pas.

– La direction générale oui, je réponds, désignant la ligne droite devant nous.

Oui, je connais à peu près la direction. Je sais ce qu'on doit trouver, donc je sais où on doit aller. Je le sens.

On vadrouillera dans la forêt, on l'explorera de fond en comble, on se dirigera vers l'est, deux, trois, quatre heures, peu importe, toute la journée si c'est nécessaire, jusqu'à ce qu'on trouve des myrtilles. Et puis on montera notre camp et on récoltera les baies à la première lueur de l'aube. Pour une qualité optimale. Et puis on rentrera. Tel est le plan.

– Comment ça s'appelle, ce qu'on cherche?

– *Vaccinium myrtillus.*

– Et c'est quoi?

– Un petit buisson de baies noires.

– Et ça peut aider à guérir?

– Peut-être.

– Cool.

Ou peut-être pas, je me dis. Des myrtilles! Il y en a à tous les coins de rue. Muffins aux myrtilles, crêpes, smoothies... C'est beau et bon, mais est-ce que ça peut vraiment faire la différence?

Greg ouvre la marche, haletant d'excitation ; il tire sur
sa laisse, veut absolument gambader. J'invente des histoires
tandis qu'on déambule sous les cimes étincelant de vert clair.
– Avant, ils faisaient bouillir les myrtilles avec leur queue
dans du vieux vin assaisonné avec trois poux issus de têtes
différentes. Ils en buvaient un verre le premier jour, deux
le deuxième, trois le troisième, et ainsi de suite jusqu'au
douzième jour, et de là la même chose en sens inverse.
Ça enlevait la fatigue du corps.
On poursuit notre chemin. La forêt s'épaissit et s'assombrit,
les arbres sont plus hauts, plus vieux.
– Les Saxons de Transylvanie posaient du lard sur leurs
plaies et bandaient le tout avec un nœud ; pendant la nuit,
le lard absorbait le nœud. Le lendemain matin, ils accro-
chaient le morceau de lard dans un arbre en prononçant
les mots : « Arbre, appelle les oiseaux, qu'ils portent
ce nœud à tous les vents ». Et quand les corneilles
arrivaient et emportaient le lard, c'était bon signe.
Elles jaillissent de moi sans que je sache d'où elles viennent,
toutes ces histoires. Des tréfonds de mon esprit.
La forêt recommence à se clairsemer ; arrivent alors les bou-
leaux, et le sol devient humide, on se rapproche du marais.
Ce doit être ici.
– OK! j'annonce en frappant des mains. On peut commencer
à chercher. On se retrouve ici dans quinze minutes.
On pose nos sacs et on essaime dans trois directions
différentes. Lars et Basil partent en courant. Moi, je reste
immobile, les yeux fermés. J'entends leurs pas s'éloigner
progressivement dans le sous-bois, le craquement
des petites branches. Je me concentre entièrement sur rien,
et puis, d'un coup le voilà : le fourmillement qui me guide.

J'ai les coordonnées. Quelque chose en moi connaît
la direction. J'ai des antennes. Ouvre les yeux. Me mets
en route. Grimpe sur les troncs d'arbres renversés,
les branches écroulées, saute par-dessus les flaques, marche
en équilibre sur un tronc. Je ne sais pas où je me trouve,
mais je sais exactement où je dois aller. Je le sens dans
mes boucles de cheveux. Je me fraie un chemin entre
les buissons, poussant leurs rameaux de côté et regardant
au travers, et puis je le découvre enfin : un champ immense,
de la taille d'un terrain de sport. Des fourrés d'un vert
sombre et repu entre les arbres. Des baies d'un bleu pur
à la chair rouge vif. Je crie quelque chose, m'étranglant
à moitié, ne me comprends pas moi-même. Trouvé! je pense.
Me retourne, mets mes mains en porte-voix, hurle :

On monte le camp. On déploie la bâche imperméable
sur une branche – un toit de fortune en cas de pluie.
On déroule nos sacs de couchage. Puis on allume un petit
feu et on y fait griller des patates et des noix. Les feux,
c'est propice à la confidence. On s'épanche volontiers
à regarder danser les flammes.

– Mon père a eu une idée, j'annonce à Lars. Il voulait
te proposer que...

J'hésite, sans savoir pourquoi, peut-être ai-je peur que Lars
refuse.

– Tu pourrais imaginer emménager chez mon père? Qu'il
devienne ta famille d'accueil? Lui... et elle?

Lars déglutit. Me regarde droit dans les yeux, a oublié
ses pointes de pied et le feu.

– Quoi? fait-il.

– Que tu déménages de Trümperhof vers la Râlbanie...

– T'es sérieuse?

Je hoche la tête. Le soleil de Lars se lève. Il hoche la tête en
cadence avec moi, lentement d'abord puis de plus en plus fort.

– Génial! s'écrie Basil. Comme ça, on sera voisins!

– Sérieux? demande Lars.

– Sérieux! je confirme.

– Et alors tu serais... ma sœur, genre? chuchote-t-il.

– Réfléchis-y bien, Lars, si tu dis oui, tu ne pourras plus
m'épouser.

– Ce serait tellement génial, d'habiter à côté tous les trois!
dit Lars.

Je souris, et ajoute en le dévisageant :

– Disons... Pour ma part, je n'emménagerai pas en Râlbanie.
Je reste où je suis.

– Mais...

– Je ne peux pas partir. Faut que je garde la boutique...

Lars fait une tête comme un panneau stop.

– Dans ce cas... balbutie-t-il, je ne veux pas non plus.

– Si, Lars, fais-le quand même. Moi, je ne peux juste pas.

– Je reste où tu es, dit Lars.

Il le dit tellement vite que ça sonne comme une langue
étrangère : jrestoutué.

– Combien de temps ça prend, ce genre de choses? interroge
Basil. Cette histoire de famille d'accueil? Ton père doit-il
donner son accord?

Lars hausse les épaules. Il frotte ses pointes de pied l'une
contre l'autre, bouche brillante. Il commence par s'allonger.
Basil fait de même. Finalement, on s'allonge tous les trois.
La forêt vue d'en-dessous. Le sol sous nos corps. La cime
des arbres qui nous surplombe. Il faudrait prendre
le temps de s'allonger plus souvent. De lever les yeux vers
le ciel. Ça fait du bien, de lancer des pensées en l'air
et de les voir courir avec les nuages.

– C'est vraiment sérieux? redemande Lars au bout
d'un moment. Vraiment vrai, tout ça?

– Qu'est-ce que tu veux dire? l'interroge Basil.

– Toutes ces histoires.

Lars et Basil sont allés chercher du bois. Pendant ce temps,
j'essaie les hamacs, savourant d'être allongée entre les arbres,
mi-ombre, mi-soleil. Basil a raison : la survie et le hamac,
c'est comme le réglisse et le chocolat – on ne pense pas spon-
tanément que ça va ensemble, mais en fait c'est génial! Je
me régale du silence. Du balancement minimal. De la dernière
chaleur avant que le soleil ne sombre dans la forêt.

Je range notre camp, on ne veut pas laisser de traces en partant demain matin. Avant le véritable lever du jour, à cet instant où les baies, ayant dormi tout leur soûl, sont gorgées de force, ce sera le moment de la récolte. *Dixit* Ludmilla. Je me lève, je regarde les braises restantes, me demande ce que trafiquent les deux garçons. Basil et Lars. Lars Leforestier, quelque part au beau milieu de la forêt – laissez-moi rire. Enfin dans son élément, l'enfant McDo de service. Je tends l'oreille mais ne perçois que le croassement des grenouilles et des crapauds. Je jette alors les dernières branches dans les braises et me rallonge dans le hamac. Ludmillicilline. Je vois Milla en esprit, en train de cuisiner. De faire de la magie. Teinture de fougère aux pensées et fleurs des champs. Parfumée à la valériane, à l'acore, à l'achillée. Le tout enrobé d'une mélopée polonaise et d'une odeur de foin frais. Je m'imagine que ces herbes ont engrangé en elles tout un été, autant de soleils couchants. Les voilà maintenant, une fois encore, pour un bref instant ; elles ne resplendissent plus mais sourient amicalement. Elles ont tout conservé en elles et on peut en absorber les couleurs sous forme concentrée. Des myrtilles. Est-ce que ça suffira ?

Que pourrait être l'ingrédient secret ?

Soudain, j'entends des voix.

Lars et Basil reviennent. Lars porte des bâtons, Basil tire une grosse branche craquante. Leurs pas crissent sur le sol, mais quand ils sont suffisamment près, j'entends Lars dire :

– J'ai... Ce que je t'ai raconté... Ce truc au sujet de ma mère, hein ? C'était pas tout à fait... je veux dire... j'ai un peu... menti...

– Comment ça ?

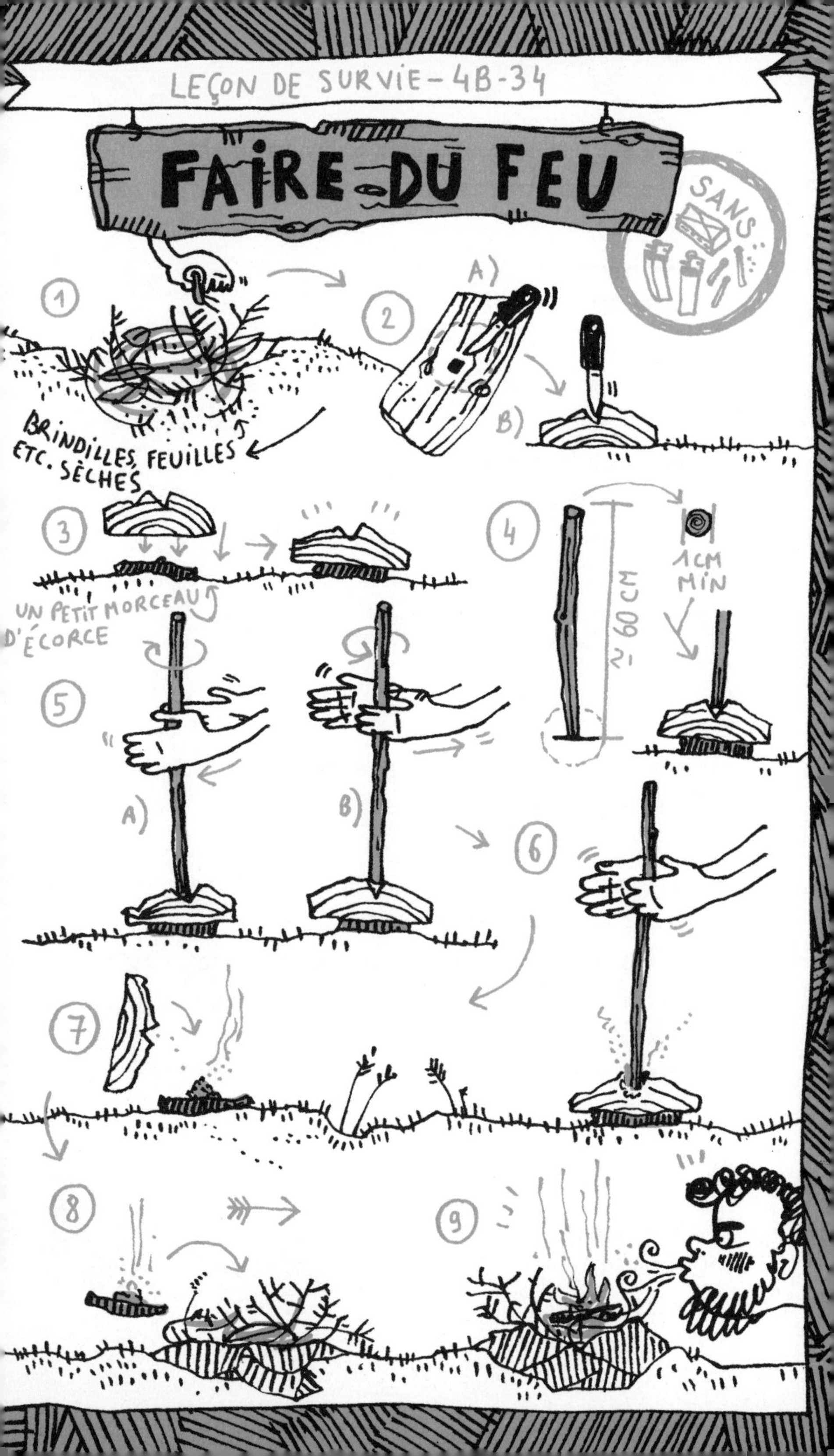

FAIRE DU FEU

SANS

① BRINDILLES, FEUILLES ETC. SÈCHES

② A) B)

③ UN PETIT MORCEAU D'ÉCORCE

④ ≥ 60 CM 1 CM MIN

⑤ A) B)

⑥

⑦

⑧

⑨

Lars laisse tomber le petit bois, un jeu de mikado géant.
Il s'assoit. Basil traîne la branche jusqu'au feu et s'assoit
près de lui.

– Elle... n'est pas en Amérique.

– Où alors?

Je n'ose pas bouger. Je ne veux surtout pas interrompre
Lars. Du coin de l'œil, par-dessus le bord du hamac,
je le vois qui tisonne le feu à l'aide d'un petit bâton.
Basil se gratte le menton.

– Allez, vas-y! dit-il.

– Elle est... morte, dit Lars doucement.

– Oh!

Lars hausse les épaules.

– C'est comme ça.

– Quand?

– Il y a longtemps déjà, j'avais cinq ans seulement. Je ne me
souviens plus bien d'elle. Je n'en ai plus que quatre souvenirs.
Il les désigne de la main.

– Comment ça?

– Quatre souvenirs. Quelques photos. Rien d'autre.
Une histoire complètement banale, tu vois. Et du coup...
Lars frappe la cendre de son bâton pendouillant,
de la poussière s'envole en dansant. Basil le lui arrache
des mains, le jette un peu plus loin.

– Je suis désolé, Lars.

– C'est la vie.

– Et les quatre souvenirs? Ils sont bons, au moins?
Lars hoche la tête.

– Raconte-moi le plus beau.

Lars hésite ; il s'assoit, jette un dernier coup d'œil vers
Basil. Puis il se lance :

– Il est triste, en fait, mais beau en même temps. Très beau!
C'est le jour de son enterrement. On était dans le village
d'où elle venait. Elle a été enterrée près de ses parents.
Mon père était encore là. Le village entier était là. Les gens
que mes parents connaissaient, leurs familles, et les parents
de mes parents, ça faisait plus d'un millier de personnes.
Tout le monde l'a accompagnée avec nous, tout le monde.
Depuis l'église jusqu'au cimetière. Tous étaient habillés en
noir et marchaient sans rien dire, dans les rues et sur les
chemins, les voitures se sont arrêtées aux carrefours pour
nous laisser passer, personne n'a klaxonné, certains sont
même descendus de voiture, et dans les cafés les gens se
sont levés et ont baissé les yeux. C'était tellement calme.
On n'entendait que les pas, comme une gigantesque chenille.
C'est ça dont je me souviens. J'avais la chair de poule de
partout, tout le temps. Et je marchais devant avec mon père
et mes grands-parents, mais d'eux je ne me souviens pas,
et derrière il y avait ma mère, portée par six hommes.
Mon bras s'est engourdi mais je n'ose pas bouger. Il règne
un profond silence, au loin seulement on entend un coucou.
– Pourquoi as-tu... demande Basil en hésitant, raconté autre
chose?
Lars le considère longuement.
– J'avais peur, finit-il par admettre. Peur que peut-être...
tu ne veuilles plus... être mon ami.
– T'es barge? N'importe quoi.
– L'histoire de la glace, c'est vrai. C'est mon deuxième
meilleur souvenir. Mais le coup de l'Amérique, c'est Lara
qui l'a inventé, pour l'exposé de l'école.
Basil approuve de la tête, puis tape l'épaule de Lars de son poing.
– Viens, dit-il. On va faire du feu et du thé, maintenant.

Lars regarde autour de lui, se gratte la nuque, réfléchit :
– Elle est où, Lara, au fait?

Chapitre 24

ENCORE DEBOUT?

– Et puis je les ai ramenées à Ludmilla qui va tout préparer,
je murmure. On doit laisser sécher une partie des baies,
tu comprends? Faire bouillir une partie des racines,
pulvériser le reste, et préparer du thé frais avec la moitié
des feuilles. Je suis allongée près de maman dans son lit.
Elle dort de son sommeil immobile.
Je regarde par la fenêtre, contemple la télévision muette,
le pulsomètre, le néon. Examine le tuyau qui disparaît
quelque part sous la couverture, dans le corps de maman.
Lui essuie des grains de sel au coin de l'œil. Au bout
d'un moment, elle se réveille et me dévisage.

– Encore... debout?

Sa voix n'est plus qu'un souffle.

– Qu'est-ce que tu veux dire?

– Debout... sûr?

Une odeur de médicaments. De médicaments pris et éliminés
dans la sueur. Ici, dans le couloir, dans tout l'hôpital.

– Je ne comprends pas ce que tu veux dire, maman. Toujours
est-il que Ludmilla et moi...

– Tu... titubes? Tu... peur de... perdre... l'équilibre? De...
tomber?

J'acquiesce et je tombe, ici et maintenant, je m'effondre,
sur le lit de maman, sur maman, dans ses bras. Je ne san-
glote pas, ça jaillit simplement hors de moi, de la tristesse
par sacs entiers. Je sens mon souffle chaud dans son cou,

mouillant tout de mes larmes, mes yeux, le coussin, l'oreille
de maman.

Alors, elle dit, de sa diction désespérément languissante et
hachée, ce qu'elle dit toujours dans une situation semblable :

– Viens... me... près voir, Larâ... lette.

Alors que ça fait déjà un moment que je suis allongée sur elle.

– Je te... tiens aussi longtemps que je peux, et puis...
ce sera le tour de... ton père, tu sais?

Je ne veux personne d'autre. Ni être tenue par qui que
ce soit, d'ailleurs ; je ne veux pas de station de rechange,
je ne veux pas de ce cirque.

– Et alors... tu seras... plus forte... que les autres...,
dit-elle, haletante.

Je me relève ; elle va étouffer si je me presse contre
sa poitrine à chialer comme ça.

– ... quand ce sera fini.

Elle reprend son souffle.

– Je t'attendrai, murmure-t-elle. Je resterai... assise...
sur des coussins... mous... choc...olat chaud toute...
la journée... ma... famille près de moi...

– Même Féta et Poireau? je demande.

À grand-peine, maman construit un minuscule sourire sur son visage. Il y a de ça une éternité, on a eu des cochons d'Inde en Râlbanie. Ils ont emménagé en mai, en juillet on les a enterrés dans le jardin. Deux mois, ils ont tenu. Je n'avais plus pensé à eux depuis longtemps, pourquoi j'y pense maintenant? Après ça, on a choisi des animaux domestiques plus robustes : Lenny et Roy.

– Sans doute... aussi.

– Tu n'y crois pas vraiment, hein?

– Non.

– Mais alors, qu'est-ce qui va advenir de toi, maman?

Elle hausserait probablement les épaules si elle en était capable, mais elle reste immobile, le regard vide.

– Je suis tellement perdue, je dis.

Je vois l'effort terrible qu'elle doit fournir pour garder les yeux ouverts. Ses paupières tremblent.

– Le paradis? L'enfer? je poursuis. Tu crois vraiment qu'on reste là, quelque part dans l'infini, transformé en esprit?

Qu'on époussette les meubles? Qu'on reste sur Terre, mais invisible? Est-ce que tu crois...

Je vois les yeux de maman se fermer. Elle lutte pour les rouvrir dès que je m'arrête de parler, autant que possible.

– Est-ce que tu crois en la réincarnation? je poursuis.

Est-elle en train de secouer la tête, tout doucement?

– Est-ce que ça continue, d'une manière ou d'une autre, ou bien est-ce que c'est terminé? Est-ce que la lumière s'éteint simplement pour toujours?

– Ça, on ne le... sait que... le moment... venu...

– Tu as peur, maman?

– Oui.

Chapitre 26
PARCE QUE
ÇA FAIT DU BIEN

Parce que ça aide. Parce que ça fait du bien. Me fait
du bien à moi de faire du bien à Lars. Rester à ne rien
faire, ça m'engourdit, m'abêtit, m'étourdit. À quoi bon
commémorer s'il n'en sort pas un jour génial pour Lars?
Ce matin, je me réveille donc avant tout le monde, fonce
à la cuisine, fais chauffer le four, prépare le chocolat chaud,
le lait et le café. La nourriture pour bébé. Tout a été minu-
tieusement préparé hier soir : comme Lars dormait depuis
un moment (ou faisait semblant), on a pétri à dix mains,
lavé la salade, touillé diverses vinaigrettes et anchoïades,
créé des sauces, cuisiné des soupes. Et empaqueté
des cadeaux. Tout le monde était sur le pont à travailler
en silence – quand bien même le colonel et le flamant rose
étaient de la partie. Un bourdonnement de ruche, studieux
et concentré. Les jumeaux ont dormi paisiblement sur
le canapé. De brèves consignes, des conseils, des trucs
comme ça, mais sans jacassement.
Et tout à la fin, papa, le colonel et moi sommes montés dans
la vieille caisse de papa pour aller récupérer la roulotte que
papa avait garée plus loin chez un copain, et nous l'avons

conduite dans le jardin où on l'a enveloppée d'une immense
bâche vert foncé. La nouvelle chambre de Lars.
Le café râle dans la machine, je remplis des Thermos
de chocolat et de lait, mets les petits pains au four.
Papa arrive dans la cuisine, le pas lourd et le visage froissé,
bâillant tout son soûl.
– Tu les surveilles? je le somme en désignant le four.
Je descends alors dans le jardin cueillir des fleurs pour
décorer l'assiette de Lars. Sortir les cadeaux du garage
et les assembler en une longue file indienne qui s'achève
sur l'énorme présent, une chambre pour lui tout seul :
la Larsmobile! Tout à coup, le colonel se retrouve à côté
de moi, en pantoufles et chemise de nuit ; il s'échauffe sur
sa guimbarde et se brûle de temps à autre la bouche avec
du café trop chaud. Papa et Ludmilla descendent de la vaisselle tintinnabulante dans le jardin. Une journée comme ça,
c'est juste super, une journée où tout fonctionne, où tout
le monde met la main à la pâte, où on enrichit la vie
d'un truc chouette. Le flamant rose apporte les petits pains.
Papa sort les chaises de la cave. Ludmilla hisse

des quantités de nourriture sur la table. Ron et Théo braillent, eux aussi se font prêts, se râlveillent. LdK reste avec eux dans le jardin tandis qu'on monte se rassembler devant la porte que je pousse avec précaution. Lars, sur son matelas, fait semblant de dormir comme il se doit... Ludmilla compte un, deux, trois et :

Je bats la mesure en frappant du fouet contre le cadre de la porte, Ludmilla m'accompagne à la flûte sur deux bouteilles en verre et Juri joue du violoncelle ; puis le colonel lui emboîte le pas avec sa guimbarde et j'entonne la partie chantée :

– Riquedal! Riquedal, Riquedal! Râlbat de râlsopoum, broubruhuhuhuuu!

Chacun y va de son braillement. On parle le râlbanais, ça faisait longtemps que je n'avais plus entendu cette langue. Greg glapit, salue son maître ensommeillé, ce garçon blanc et tout en longueur, affublé de son caleçon bariolé, et qui sourit de jaune en nochant.

Quand on en a terminé avec notre sérénade, je prends Lars dans mes bras :

– Joyeux machin-truc!

Il me chuchote à l'oreille :

– Je dormais encore, vraiment!

Et il se frotte les yeux.

Je prends tout en photo : les bourdons, les crêpes, le Râl-nana-slurp. Le soleil, les hirondelles (flamants roses inclus), les quatre crapauds qui font la course sur la pelouse. Les yeux qui clignent dans la clarté du soleil. Lars, son pyjama, la décoration. Les invités commencent à arriver : Basil et Louise. Pitt, Mina, Julius. Même les voisins montrent brièvement le bout de leur nez, serrent des mains, se gavent de crêpes

traditionnelles râlbanaises, une recette préhistorique. Lars
reste pas mal planté là, les yeux ronds comme des billes,
il n'arrive pas à croire que c'est en son honneur, tout ça.
– Et si tu t'asseyais? je lui propose. Allez!
Je lui refourgue un gros morceau de Râlnana-slurp sur
l'assiette. Lars mate l'autre bout de la table, compte des
yeux les cadeaux de la file, à laquelle chaque invité ajoute
quelque chose. Et il n'a pas encore pigé que le mur vert
foncé à l'autre bout du jardin faisait aussi partie de la liste.
Il a une manière de déballer les cadeaux bien à lui : ses longs
doigts fins tâtonnent, caressent, plient et déplient avec une
concentration maximale. Il ne froisse presque pas le papier
cadeau. Je sais qu'il a conservé celui de l'année dernière sous
son lit à Trümperhof, à l'abri dans une boîte à chaussures.
Lars déballe comme d'autres empaquettent. Il sait tellement
bien s'émerveiller! Quand il reçoit des cadeaux, ça l'achève.
Ça l'achève de bonheur.

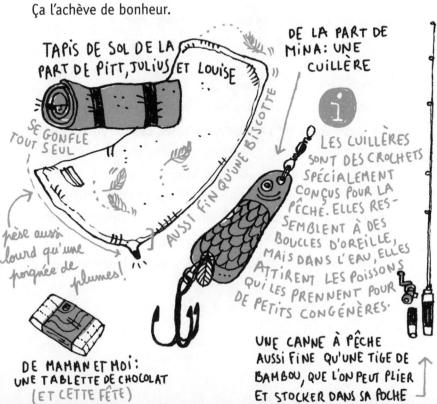

TAPIS DE SOL DE LA
PART DE PITT, JULIUS ET LOUISE

SE GONFLE
TOUT SEUL

pèse aussi
lourd qu'une
poignée de
plumes!

AUSSI FIN QU'UNE BISCOTTE

DE LA PART DE
MINA: UNE
CUILLÈRE

ⓘ LES CUILLÈRES
SONT DES CROCHETS
SPÉCIALEMENT
CONÇUS POUR LA
PÊCHE. ELLES RES-
SEMBLENT À DES
BOUCLES D'OREILLE,
MAIS DANS L'EAU, ELLES
ATTIRENT LES POISSONS
QUI LES PRENNENT POUR
DE PETITS CONGÉNÈRES.

DE MAMAN ET MOI:
UNE TABLETTE DE CHOCOLAT
(ET CETTE FÊTE)

UNE CANNE À PÊCHE
AUSSI FINE QU'UNE TIGE DE
BAMBOU, QUE L'ON PEUT PLIER
ET STOCKER DANS SA POCHE

Au bout d'un moment, il ne reste plus qu'un cadeau
sur la table. Lars regarde autour de lui. Basil? Le colonel
Raclette? Juri?
Lars ouvre le paquet.

UN
SAC DE SPORT

DEDANS:

DES MOUSQUETONS

UNE CORDE
D'ESCALADE

DES PITONS

UNE PAIRE DE
CHAUSSURES
D'ESCALADE, SPÉCIALES
« ÉCHALAS »

– Joyeux anniversaire! lance Basil en s'envolant au cou
de Lars, l'embrassant et le bousculant enfin.
Lars le bouscule à son tour. Ils rient tous les deux.
– Merci!
Joyeux anniversaire, joyeux anniversaire, joyeux
anniversaire : Louise, Mina, Pitt et Julius. Puis vient
le tour du colonel :
– Choisis un arbre! s'exclame-t-il.
Poitrine gonflée, il se lance dans son allocution :
– Plantes-en un! Il faut absolument que tu aies un arbre!
Conseil d'ami! Chaque être humain devrait parrainer
un arbre. Avoir un arbre, ça rend heureux, ça fait du bien.
Nous autres humains sommes comme ces champignons qui
prospèrent à proximité de certaines racines. Un arbre, c'est
un ami, un compagnon, ça peut devenir un véritable
chez-soi! Il se tourne, se penche et dépose un arbrisseau
entre lui et Lars.
– Voilà pourquoi je t'offre celui-ci! Un poirier!
– Merci, murmure Lars.

– Et d'ailleurs, poursuit le colonel, saviez-vous qu'en
Amérique, il existait un tremble âgé de quatre-vingt mille
ans pesant six mille tonnes ? Ça correspond à cinquante,
soixante baleines bleues adultes.

Il considère son auditoire, puis tend le tronc à Lars :

– Enfin bref, ce que je voulais te dire, achève-t-il
en le prenant dans ses bras, c'est : joyeux anniversaire,
mon garçon ! Tu es un sacré bonhomme !

– Et ça, dit mon père en poussant Lars en direction du mur
vert foncé, c'est de ma part ! Ce n'est pas encore fini, faut
qu'on... y travaille ensemble.

Il retire la bâche qui tombe à terre, en même temps que
le menton de Lars. La Larsmobile est apparue.

Lars a la bouche béante et un regard de tiroir vide, il est tout émerveillement. Enfin, il pose sa main doucement sur le bois.

– Et ça, c'est un trousseau pour la Râlbanie, ajoute papa en lui tendant les clés.

Lars tressaille, puis s'assoit par terre, près de sa roulotte. Il regarde la clé, défaille en arrière. Commence par s'allonger, conformément à son habitude. On s'étend tous, les uns après les autres, et on reste comme ça un bon moment.

Ensuite, direction le lac. Petite bataille de pistolets à eau pendant que le colonel et le mobil-glace distribuent des rations d'Orâge Glacé à toute la compagnie, bbbrrrzzz!
Puis retour en Râlbanie et buffet de super tartines. Tout le monde est assis et se régale. À un moment donné, Lars vient s'installer près de moi. Il ingurgite les trois variantes de tartine en un quart de secondes puis pose sa main sur mon épaule.

– Merci.

Il regarde autour de lui en écartant légèrement les bras.

– Et merci aussi pour le chocolat.

– Pas de quoi. Tu me le fais goûter?

Lars va chercher la tablette, me la tend.

– Ce n'est certes qu'une tablette de chocolat toute normale, mais notre vrai cadeau, à maman et moi, c'est un tour de magie qu'on veut t'apprendre. Il s'appelle « La machine à chocolat » ; avec, on peut produire une quantité infinie de chocolat!

Je me mets à rire, marque une petite pause, puis poursuis en chuchotant :

– En fait, c'est de la magie amoureuse, il ne faut pas
la montrer à n'importe qui. Mon père l'a utilisée avec
ma mère, ma grand-mère avec mon grand-père...
Lars approuve de la tête. Son regard fait la navette entre
mes yeux et la tablette de chocolat posée entre nous sur
le sol. J'ouvre la tablette, la fend à l'aide d'un couteau,
et je lui explique le tour sans le lui faire – après tout,
il n'est pas censé tomber amoureux de moi.
Soudain, le portillon du jardin s'ouvre avec fracas.
Roulement de tambour. Entrée de Miguel Leforestier. Comme
une star pénètre sur scène, un président sur la tribune,
un boxeur sur le ring, entouré d'accompagnateurs, porteurs
de serviettes, assistants, masseurs et gardes du corps,
il s'introduit dans le jardin de Râlbanie en poussant son BMX,
suivi de ses trois accompagnateurs. Il s'arrête et regarde
autour de lui, cherchant son Lars des yeux. Celui-ci se précipite, trois, quatre pas d'échalas suffisent ; ils se jettent dans
les bras l'un de l'autre et sautent comme des lapins à travers
le jardin, renversant le BMX au passage. Miguel chatouille
son fils, le fait virevolter un long moment. Puis, la main
sur la poitrine et haletant, il déclare :
– T'es devenu un sacré cheval, mon Lars!
Puis, désignant le vélo à terre :
– C'est pour toi...
– Sérieux?
– Oui!
Lars enfourche le BMX qui paraît soudain minuscule. Il décrit
quelques cercles branlants autour de Miguel et ses trois
accompagnateurs.
Et il remercie son père. Les trois accompagnateurs lui
serrent la main et lui souhaitent un joyeux anniversaire.

Lars montre la roulotte à Miguel, qui en tapote le bois avec compétence, tout sourire.

– Je t'ai jamais raconté, hein? dit-il en clignant de l'œil.
La famille de ta mère, c'étaient des vagabonds. Ou des gens du voyage, plutôt, c'est ainsi qu'ils se nommaient. C'étaient des forains, des musiciens, des jongleurs, des saltimbanques! Il frappe la porte du plat de la main.

– Ils ont vécu dans des roulottes comme celle-ci. Ils ont traversé le pays – qu'est-ce que je dis!? – ils ont traversé l'Europe!

– Vraiment? demande Lars.

Miguel confirme de la tête. Lars absorbe chaque mot que son père prononce. Chaque mot, chaque mouvement. Son ton. L'avant-dernier été, Lars était comme Miguel pendant les trois jours qui ont suivi son anniversaire. Il bougeait comme lui, portait les cheveux comme lui, avait la même gestuelle, les mêmes expressions du visage, sa voix était plus grave, les mots lui venaient aussi en toussotant. Tel un champ qui, après une forte pluie, s'assèche lentement, en plusieurs jours, Lars est redevenu Lars, Miguel s'est lentement éloigné de son fils, à tout petits pas.

Un matelas, une canne à pêche, une cuillère, du matériel d'escalade et un arbre : Lars montre à Miguel ses autres cadeaux, lui raconte quelques trucs de survie. Au bout du jardin, on accroche le matériel d'escalade au noyer pour l'essayer et on crapahute un peu ; Basil montre comment on fixe le matériel de protection et comment on grimpe. Lars et Miguel, assis l'un à côté de l'autre, l'observent en bavardant. Au bout d'un moment, Juri se joint à eux et parle à Miguel. Lars écoute, hoche la tête, puis il vient me trouver, le sourire étincelant. Il me fait face, chargé comme une pile, resplendissant. Du pouce, il montre derrière lui.

– Ils sont en train de discuter. Juri lui explique cette histoire avec la Râlbanie et le reste.

Je sais.

– Quelle journée! fait-il, s'ébrouant, nochant, souriant puis me dévisageant soudain avec gravité. Que toutes ces choses se passent en même temps... Je ne sais pas comment je suis censé me sentir, tu comprends?

Il me regarde de ses grands yeux.

– C'est tellement excitant, tout ça...

Il sort son bras d'échalas pour embrasser les environs.

– C'est tellement beau!

Il noche à nouveau, puis contemple ses pointes de pied.

– Tellement beau, sérieux. Et en même temps...

Je hoche la tête, je sais ce qu'il veut dire. Et il sait que je sais. OK.

Le colonel annonce le début de la course en sac, explique les règles : on fait ça au K-O. Miguel est éliminé dès le premier tour. Pitt remporte la finale contre mon père. Le sport, c'est quand Pitt gagne à la fin. Ou : quand Pitt gagne à la fin, alors c'était du sport. En revanche, au concours d'ingurgitation de panure, Lars arrive deuxième et Miguel premier de loin.

– C'est comme en prison, s'écrie-t-il. S'enfiler des biscottes! Haahaaa!

Le colonel lui décerne un petit pain d'or.

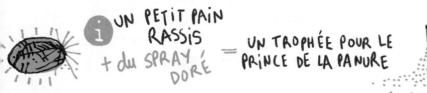

UN PETIT PAIN RASSIS + du SPRAY DORÉ = UN TROPHÉE POUR LE PRINCE DE LA PANURE

Puis on essaie le BMX, il faut faire des sauts avec, Pitt nous montre comment. À un moment, j'entends Lars demander à Miguel :

– C'est comment, en fait, la prison ?

– Bah ! fait Miguel en haussant les épaules, regard baissé. Il n'y a pas de poignée aux portes. À part ça, je suis stable.

Ludmilla et moi, on rapporte la vaisselle à l'étage. Je suis enfin seule avec elle un instant. On monte l'escalier à pas lourds.

– On a tout ?

Je suis obligée d'élever la voix pour qu'elle m'entende, au milieu de ce tintamarre.

– Plus ou moins, répond-elle, soulevant les épaules.

– Comment ça ?

– Il faut attendre encore un peu. Ce doit être exactement le bon moment, et l'eau des racines doit infuser trois jours encore.

– Sinon, on n'a plus besoin de rien ?

– Non, c'est bon.

Je me procurerais n'importe quoi, coûte que coûte. De l'or ou du sang de dragon en passant par l'ordinateur quantique à propulsion hybride ou le pulvérisateur de météorites.

– Tu dois juste me le dire, j'insiste.

Ludmilla hoche la tête.

Depuis deux heures, Miguel fait son numéro. Il met du ketchup sur sa tranche de gâteau, sucre sa saucisse, verse du lait dans son Fanta. Lars en pleure de rire, il se tord le ventre, se tape la cuisse. Finalement, le plus petit des accompagnateurs va voir Miguel.

– Faut qu'on y aille...

Au moment de prendre congé, Miguel me demande :

– Comment va ta mère?

Je hausse les épaules.

– Pas bien.

– J'en suis désolé, dit-il.

Il passe sa main dans mes cheveux, me fait une bise furtive sur le front.

– Je te confie mon Lars. Il va veiller sur toi. C'est un bon veilleur. Le meilleur que je connaisse.

– Je sais. Et je lui en suis vraiment très reconnaissante. C'est super que tu sois venu.

– Merci pour l'invitation. Merci tout court. Visiblement, c'est une grande *love story* entre vous, hein?

Il me fait un clin d'œil et m'adresse un sourire taquin.

– Oui, je dis. Sauf que ce n'est pas de l'amour.

– OK, dit Miguel, me sondant du regard. C'est une grande *story* entre vous... C'est peut-être même mieux. Salut!

Puis Miguel époussette son fils, le met à terre, lutte avec lui, lui fait une prise de tête et l'embrasse sur les cheveux. Quatre fois.

– *Ciao*, mon grand!

Il se relève enfin, agite timidement la main et disparaît avec ses porteurs de serviette, gardes du corps et autres assistants. Alors, Lars s'éclipse aux toilettes. Quinze minutes plus tard, il est de retour, et tout est de nouveau OK.

LA GÉNIALISSIME
LIMO AU SUREAU

GREG S'AMUSE
À FOND !!!

→ AU LAC

...oncours d'ingurgi-
...tion de PANURE

...E FEU DE CAMP

NOEUD-PAP' OBLIGATOIRE
POUR LE PÈRE & LE F...S

Moi au lac
(en pleine action)

LA LARSMOBILE
DE LARS

LARS

Bonne
humeur
... EN
PAGAILLE

(QU'IL PUISSE Y AVOIR
DES CHAPEAUX POINTUS À UNE
FÊTE ORGANISÉE PAR MOI...)

TARTINES
de Lune !

LARS + MIG...

Tous les bourdons du monde étaient conviés.

MÊME LA TAUPE EST VENUE.

CRA- PAUDS PRÉSENTS

ainsi que les corneilles RÂLBANAISES

Course en sac

BASIL A TOUJOURS L'AIR ...ENT (presque)

Remise des prise!

NOUVELLE TENDANCE!

LE GRAND souhait

Chapitre 27

DES AVIONS EN PAPIER

Après avoir fabriqué des avions en papier, on monte
à Râltropolis.

La journée entière est rayonnante, le soleil brille,
la chaleur s'est accumulée dans le grenier. On ouvre grand
les fenêtres et on rafraîchit nos dos en sueur dans le léger
courant d'air. Le premier, Lars se poste à la fenêtre, lance
son avion, le contemple en comptant les secondes, et, les
yeux clos, fait un vœu. Les suivants lancent leurs créations
les uns après les autres : Ludmilla, Basil et Louise, papa ;
même le flamant rose, conformément à cette tradition (pas
si) ancienne, y va de son avion en papier et est autorisée à
souhaiter quelque chose. Aucun problème. Viennent ensuite
Julius, le colonel et Mina. Tous regardent par la fenêtre,
suivent les avions du regard, comptent, mesurent la longueur de vol. Ferment les yeux pour faire un vœu. Et puis
c'est mon tour. Je prends un peu d'élan, lâche mon avion
– et le voilà qui s'envole, flottant avec élégance, monte
encore un peu à la faveur d'une bourrasque, fusant au-dessus
des toits ; et avant qu'il ne se coince dans la cime d'un arbre
ou qu'il retombe sur le sol, je ferme les yeux. Ainsi, les yeux
clos, je peux prolonger le vol indéfiniment – et puis soudain,
j'entends un bruissement, comme la déchirure d'un vieux
tissu, bref et doux, dans ma poitrine. C'était mon cœur. C'est
parce que maman n'est pas là. Pour notre tradition.

Je n'ouvre donc plus les yeux. Je ne les rouvrirai que lorsque

mon vœu se sera réalisé. Les invités sont rassemblés derrière moi, à attendre, sans savoir que dire ou faire. Et je ne
le sais pas non plus, mais ça m'est égal, ce n'est pas mon
problème. Je resterai plantée là jusqu'à ce que ça serve à
quelque chose, de faire un vœu. Est-ce encore l'anniversaire
de Lars? Ou est-ce déjà l'adieu à Klara? Sincèrement, je ne
saurais le dire, comme je sens les autres unis près de moi
et remuant les mêmes pensées. Je ne rouvre pas les yeux.
Je les plisse, au contraire.
Au bout d'un moment, une main se pose à la naissance
de ma nuque. Celle de Lars. Elle ne tire pas, ne pousse pas,
elle est juste posée entre les omoplates. Un point brûlant.
Puis Lars dit aux autres :
– Allez-y en premier et allumez le feu, on vous rejoint.
Lars se poste derrière moi. Entretemps, il a tellement grandi
qu'il peut sans problème poser ses mains sur mes épaules.
Il m'enlace ainsi, je m'adosse à lui légèrement et cherche ses
mains à tâtons. J'aimerais bien savoir s'il a les yeux fermés,
lui aussi. Mais pour le savoir, faudrait que je regarde. Lars,
il connaît ce sentiment d'avoir reçu trop peu de parents.
– Mon vœu, c'était pour elle, me dit-il.
– Peu importe. C'est du n'importe quoi, de toute façon.
De la pure superstition.
Il se tait, immobile.
– Mais merci quand même, j'ajoute. C'est gentil de ta part.
Je sens son haleine sur ma tête, chaude, constante.
Une haleine d'échalas, une haleine de grand frère.
– Tu veux que je t'explique pourquoi mon père est en prison?
Je fais oui de la tête.
– Mais tu ne le diras jamais à personne, d'accord?
Nouveau oui de la tête.

– OK. Et après, on redescend ensemble et on finit de fêter mon anniversaire.

Troisième et dernier oui.

Alors, Lars me confie son secret. Calmement, à voix basse. C'est un secret et ça le restera. Personne n'a besoin de savoir. C'est privé.

Le feu brûle dans la nuit tombante. Étendus autour, on écoute une pièce radiophonique, une énigme policière, un truc d'agent secret. On enfouit des patates, des oignons et des bananes dans les braises. Louise prépare du pain en bâton. Les adultes se sont retirés. Nous, on va dormir dehors, sous les arbres. Peu après, lorsque le cinéma pour oreilles est terminé, que le feu est presque consumé et qu'on est emmitouflé dans son sac de couchage à raconter des histoires, je vois Lars qui se relève. Il va chercher un truc, se blottit à nouveau dans nos sacs de couchage et se rapproche de Basil en rampant. Il s'assoit et bouge ses mains, je ne vois pas ce qu'il fait. En tout cas, Basil l'observe, je peux encore distinguer le blanc de ses yeux. Au bout d'une minute environ, Lars enfonce quelque chose dans la bouche de Basil, puis effectue encore des gestes que je ne distingue pas. Basil l'interroge du regard, ne comprend manifestement pas. Lars éclate de rire, et je crois que je sais ce qu'il vient de faire.

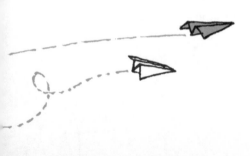

Chapitre 28

I WAS HERE

La porte s'ouvre. L'infirmière entre et ouvre les rideaux.

– Alors, on a bien dormi?

D'un air routinier, elle contrôle les appareils, rabat la couverture, appuie sur des boutons, change la poche d'urine.

– Oh, ma Râla...

– Maman.

Je m'assois près de maman et lui montre les photos. La table d'anniversaire, les fleurs, les cadeaux, le visage ensommeillé de Lars, la bâche recouvrant la Larsmobile. Lars déballant les cadeaux, Lars riant de son rire jaune, les yeux ronds comme des billes, Lars à table, le buffet du petit déjeuner râlbanais, la Larsmobile sans bâche, les jumeaux, les tortues affublées de chapeaux pointus, Greg recouvert de confettis. L'eau, la bataille de pistolets, et puis Miguel, le BMX, le concours de panure, la course en sac. Le lancer d'avions en papier, les super tartines, la limonade au sureau. Le feu de camp, la projection d'étincelles. Et pas de flamant rose. Maman sourit, respire bruyamment, dit « OK », et « La suivante », et « Attends, je n'ai pas bien vu » et « C'est quoi? ». Je lui explique, lui raconte, et maman ne se rendort pas. Elle reste éveillée.

– J'aurais tellement... aimé être là, murmure-t-elle.

Mes yeux me démangent. Maman hausse les épaules, à la vitesse des tortues, mais elle hausse les épaules.

– N'au... rait...

Elle s'interrompt, réfléchit.

– pas été... possible.

Ses doigts tapotent le matelas. Elle soulève sa main qu'on contemple toutes les deux, surprises.

– Bien dormi? je demande.

– Visiblement oui. Regarde!

Elle étire les doigts, les replie légèrement. Sourit.

– Où est Lars, d'ailleurs?

– Il était là, il voulait rester mais je l'ai renvoyé. On ne savait pas quand tu allais te réveiller. Il avait rendez-vous avec Basil pour faire du tir à l'arc.

– Très bien.

Elle promène son regard vers la table de chevet.

– J'ai encore un cadeau pour ce monsieur : une séance de paintball!

– Comment?

– Un bon-cadeau pour faire du paintball, faudra que vous y alliez ensemble.

– N'importe quoi! je m'écrie.

Maman sourit.

– Ça lui fait plaisir, ce genre de choses. Et quand on... fait un cadeau...

Puis, dans un murmure :

– Donne-moi un peu de jus de Ludmilla...

– Déjà fait.

– Plus! Portion... supplémentaire.

– Non, je dis. C'est juste pour une prise. Faut en refaire du frais.

– Alors... vas-y!

Elle a un petit sourire.

– Les myrtilles doivent encore sécher. Et faut attendre la nouvelle lune, ça renforce l'effet.

– Ah... bon, d'accord. Donne-moi... un stylo.

Je trifouille dans ma trousse, y trouve un feutre noir, retire le capuchon et le remets à maman. Elle me regarde en souriant. Très lentement, elle lève son bras. Le tient brièvement en l'air, comme si elle ne savait pas quoi en faire, puis le laisse retomber.

– Tu as besoin de papier?

– Non, je veux... écrire quelque chose sur le mur.

– Sur le mur?? Tu n'y arriveras jamais!

– Merci pour... ton soutien!

– Désolée! Peut-être tu arriverais à poser le bras sur la table de chevet, mais contre le mur!?

– Bon, ben... la table de chevet, alors, dit-elle avec agacement.

Son bras prend un nouvel élan, décolle lentement, s'arrête, tremble.

– Tu veux que je t'aide?

Maman ne répond pas, elle est totalement concentrée. Elle retient sa respiration, les yeux plissés ; puis son bras s'abaisse à nouveau vers le drap-housse. Maman aspire l'air dans sa poitrine.

– Bon, ben... ici, alors, dit-elle.

Elle gribouille sur son drap avec le feutre.

Souvenir n° 1452

CARTON : HP // DOSSIER : ÉTÉ
NOTES DE KLARA SCHMITT
draps de lit

Je ne veux pas la regarder ; je mate le polar qui passe
à la télé, une suite d'actions dénuée de son. Du coin
de l'œil, je suis maman, qui ne dort toujours pas, qui pousse
son bras d'avant en arrière avec une lenteur insoutenable.
Quand, dans un souffle, elle prononce « Fini! », le deuxième
meurtre a déjà eu lieu. Quatre mots en vingt-trois minutes.
J'en ai besoin d'une supplémentaire pour déchiffrer
ses pattes de mouche : *I was here, Klara.*
Elle rit.
– Tu trouves ça drôle?
– Pas toi?
– Bof.
– Allez! C'est drôle!
Je secoue la tête, vraiment.

LES ÉTOILES DEVRAIENT POURTANT
S'ÉLOIGNER LES UNES DES AUTRES,
TOUJOURS PLUS LENTEMENT;
ELLES DEVRAIENT PERDRE
DE LA VITESSE...

— MAIS C'EST LE CONTRAIRE
QUI SEMBLE SE PASSER !

C'EST LA RAISON POUR
LAQUELLE CERTAINS SCIENTIFIQUES
SUPPOSENT QU'UNE ÉNERGIE
SOMBRE EST RESPONSABLE
DE CETTE EXPANSION, ET PAS
(SEULEMENT) CELLE DU
BIG-BANG.

CETTE MYSTÉRIEUSE ÉNERGIE
POURRAIT UN JOUR, DANS QUARANTE
MILLIARDS D'ANNÉES PEUT-ÊTRE,
ATTEINDRE UNE PUISSANCE TELLE
QU'ELLE SERAIT EN MESURE
DE DÉTRUIRE LE SYSTÈME SOLAIRE,
DÉTRUIRE LA TERRE
ET FAIRE EXPLOSER TOUS LES ATOMES
AVEC LEURS NOYAUX.

UNE EXPLOSION FULGURANTE,
PUIS TOUT,
MAIS ALORS
ABSOLUMENT TOUT,
SERAIT TERMINÉ.

BOUM,
ET TOUT
À
ZÉRO.

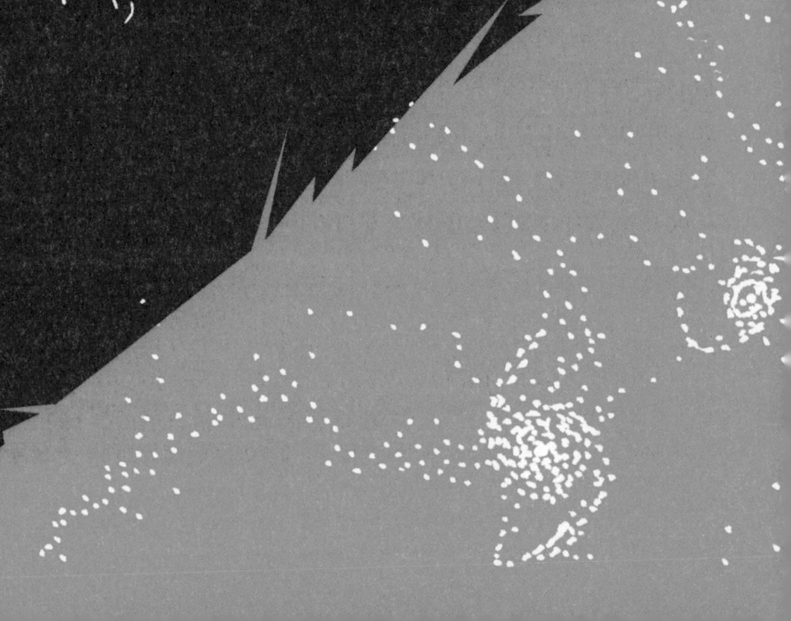

Chapitre 30

DE L'ESPÉRANCE

La lumière est horrible. Nous ressemblons à des zombies,
tous autant que nous sommes, les aides-soignants,
les médecins, les patients, Lars, Ludmilla, papa, maman
et moi. Pareillement pâles, pareillement malades. Cernes
jaunes sous les yeux, peau blême, taches bleues. Nous
sommes là, debout, sans mot dire.

Les tubes fluorescents ronflent et clignotent à une vitesse
telle qu'on ne le voit pas à l'œil nu. Maman ne dit plus
« pouce levé », ni même « Choubi…dou » ; elle ne dit plus
rien, elle ne peut plus parler. Sa respiration en est réduite à
un minimum maximal, elle n'essaie plus non plus de sourire.
Personne ne peut rien faire, même le médecin en chef se tait,
impuissant avec ses avant-bras bronzés qui brillent, couleur
vacances, dans la lumière blafarde. C'est ça, l'agonie qu'on a
tellement redoutée. Maman n'est plus qu'un corps amaigri,
sans force et sans nerfs, d'un jaune huileux évoquant la cire
ramollie. La nuit dernière, ils ont dû lui administrer un médicament pour éviter que sa circulation sanguine ne s'effondre
et que son cœur ne s'arrête de battre. De maman, il ne reste
presque plus rien. Elle est encore là, mais vide. Son corps est
la plupart du temps inhabité ; il est parti sans adresse,
à quatre-vingt-quinze pour cent. Quasi abandonné.

Je voudrais m'allonger près d'elle. Que faire d'autre ? Mais
partout elle est perforée de tuyaux qui entrent et sortent

de son corps, gouttant, bipant, pompant, effectuant
les tâches qu'elle ne peut plus faire seule. En haut, dans
un recoin du plafond, une télé scintille encore ; des gens
s'engueulent, des bouches peinturlurées de rouge s'ouvrent
et se ferment, muettes, interrompues par de la pub. Maman
n'arrive plus à utiliser la télécommande. À dix heures,
les tubes sont éteints, et je me demande si quelqu'un
contrôle qu'il y a bien toujours de l'électricité, si le lendemain ma mère sera encore en vie. Dehors, dans le couloir,
on a l'impression que plus personne n'a parlé depuis
des jours et des jours.

Papa et moi, on dort sur un tapis de sol à côté du lit de
maman. C'est interdit, mais qui peut bien nous en empêcher?
Maman ne reviendra plus à la maison. Château-Plastique,
c'est fini. Je peux tout démonter, faire la malle, emménager
dans le grenier. Mon regard erre dans l'obscurité, je sens
le souffle chaud de papa dans ma nuque, son énorme patte
rêche repose sur mon oreille, son index caresse doucement
le bout de mon nez ainsi que l'endroit sans nom juste
en dessous. Maman est dans le lit juste au-dessus de nous
et peut à tout moment s'arrêter de respirer.

Qu'est-ce que c'est bête, en fait, de continuer à espérer
quand on sait depuis belle lurette qu'on n'a aucune chance.
Comme c'est idiot d'y croire encore alors qu'on sait ce qu'il
en est. Est-ce plus dur quand on n'a pas perdu espoir?

Chapitre 31
PETIT BOIS

Je suis allongée dans de l'eau. De la vapeur s'en dégage.
Une main barbote près de ma jambe. Elle est à Ludmilla.

– Sanicle! dit-elle.

Elle repêche une feuille mouillée et flasque et la brandit
entre nous.

– Ça te fera du bien. La sanicle donne de la force. Tu sais
ce qu'on dit de cette plante, sinon?

Mais... On se trouve en Râlbanie, je me rends compte,
c'est là mon ancienne baignoire. Comment ai-je atterri là?
Je n'en ai aucun souvenir.

– On dit qu'elle guérit tous les maux, poursuit-elle.
Repose-toi un peu maintenant, je vais te faire un thé.

J'entends ses pas disparaître dans le duché. Je reste
étendue sans bouger. Au-dessus de moi, une couverture que
je connais bien. Une odeur de serviettes et de gel-douche
citronné. Quand je ferme les yeux, je ne sais plus où sont
le haut et le bas ; je n'ai plus de repère, l'instant qui sépare
le voir du reconnaître se distend à l'infini. Je ne comprends
plus rien à rien.

CECI N'EST PAS UNE̶ ̶CUILLÈRE

je pense, CE N'EST PAS NON PLUS DU VERRE USAGÉ, NI DU PAIN.

NI UN COUSSIN, NI UNE TASSE, SÛREMENT PAS UNE VALISE.

LES MOTS ME MANQUENT

PAS UNE TABLE

PAS UNE JAMBE

PAS UN CENTRE DE BRONZAGE

JE N'ARRIVE PAS À DÉCRIRE CE SENTIMENT, SI C'EN EST UN.

PAS UN CORPS GRAS PAS UN FRUIT, PAS DE L' HUILE D'OLIVE JE NE SUIS PAS TRISTE NI RIEN

PAS DE FAIM, PAS DE GERÇURES, PAS DE THYSANOPTÈRES, PAS UN MARAIS.

RIEN QUE JE CONNAISSE.

Pas un chapeau, Pas de la fierté, Pas un chat, ET CERTAINEMENT PAS UN MUR.

CE QUI Y RESSEMBLE LE PLUS, C'EST PEUT-ÊTRE LE PETIT BOIS.

PETIT

J'ÉTAIS UNE FOIS, UN ARBRE.

BIEN ENRACINÉE DANS UN MERVEIL- LEUX DUCHÉ.

J'AVAIS TOUT, UN LIT ET UNE GROTTE, DES CRÊPES ET DES POTS DE FLEURS, ET DES TONNES DE PLACE POUR GRANDIR.

J'ÉTAIS TOUJOURS TELLEMENT SÛRE DE TOUT AU MOINS, LA PLU-PART DU TEMPS.

Et puis quelqu'un m'a abattue, m'a hachée menu.

M'A RECONSTITUÉE ET TRANSPORTÉE AILLEURS.

À PRÉSENT, JE SUIS DU PETIT BOIS, ET J'ATTENDS L'HIVER POUR ÊTRE UTILISÉE.

POUR FLAMBOYER DANS UN FOUR

UN FEU RAPIDE, QUI SE DISSIPE EN FUMÉE.

Ludmilla apporte le thé en me souriant, je m'assois et saisis
la tasse.

– Ludmilla!

– Oui.

– Faut qu'on cuisine. Maintenant.

– Dans deux jours, c'est la nouvelle lune.

– Non, maintenant. Je veux dire : tout de suite.

Je me lève. Qu'est-ce que je fous dans cette baignoire?

– Reste assise, finis d'abord ton thé. Ensuite on réfléchit.

– Je ne veux rien réfléchir du tout.

– Je comprends, mais la magie, ça ne s'improvise pas comme
bon te semble. C'est une question de temps, de lune,
de planète, d'univers.

Je me rassois. Enfonce mon nez dans la tasse. Ludmilla
sourit et pose sa main sur le rebord de la baignoire.

Chapitre 32
POUSSIÈRE DE BEURRE

Papa démonte le lit. Le désassemble à l'aide de sa perceuse sans fil, le décompose en pièces détachées : planches, vis, baguettes. Je passe l'aspirateur derrière, enlève la poussière à Château-Plastique. Dans chaque pièce, dans les couloirs, les cagibis, l'entrée. Sur le paillasson devant la porte.
Le chemin qui mène au portillon du jardin. J'ai lu que la poussière était essentiellement composée de cheveux et de peau. Que chaque être humain perdait chaque jour deux grammes de peau. Si on prend tous les hommes de la Terre, ça fait plus de centaines de milliers de kilos de poussière de peau pure par jour.

6 000 000 000 DE PERSONNES x 2 G
= 120 000 KG DE POUSSIÈRE DE PEAU.

Lars arrive, il me demande ce qu'il peut faire, je lui propose de sortir les pots de fleurs. J'aspire chaque chambre, derrière les radiateurs, dans les placards encastrés. À moi seule, je perds quatorze grammes de peau par semaine. Un kilo et demi par an! Ça fait trois paquets de beurre! Une seule personne!

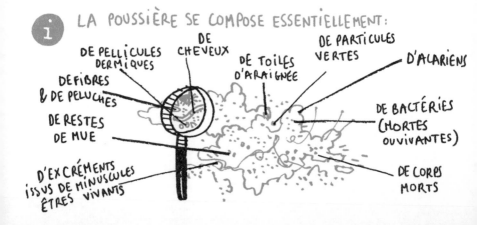

i LA POUSSIÈRE SE COMPOSE ESSENTIELLEMENT :

DE PELLICULES DERMIQUES
DE CHEVEUX
DE TOILES D'ARAIGNÉE
DE PARTICULES VERTES
D'ACARIENS
DE FIBRES & DE PELUCHES
DE RESTES DE MUE
DE BACTÉRIES (MORTES OU VIVANTES)
D'EXCRÉMENTS ISSUS DE MINUSCULES ÊTRES VIVANTS
DE CORPS MORTS

Lars papillonne de pièce en pièce, j'aspire tranquillement,
le tournevis électrique ronronne dans la chambre voisine.
Sur cette planète se trouvent donc environ vingt-quatre
kilos de poussière de peau provenant de ma mère.
De la poussière de maman perdue, introuvable. Tout à coup,
Lars me tapote l'épaule et me tend une bouteille d'eau.
– Faut boire, dit-il.
J'ai terminé ; j'ai aspiré dans tous les coins et recoins, dans
chaque fente, y compris en hauteur les cadres de fenêtre,
de porte, et sur les étagères. Je me saisis de la bouteille,
bois, éteins l'aspirateur, enroule le câble. Puis je sors le sac
d'aspirateur, l'enfouis dans un sac en plastique que je range
dans mon sac à dos.
– Tu emportes la poussière? me demande Lars.
Ma poussière. Notre poussière. La dernière poussière
de Château-Plastique. Je hausse les épaules.
– Ce n'est pas un peu exagéré? demande-t-il, le nez froncé,
transférant son poids d'une jambe à l'autre.
– Pourquoi?
– Ben, parce que... de la poussière...
– Je la récupère pour... J'en ai besoin pour une potion
magique.
– Ah, bon d'accord.
Lars hausse les épaules à son tour.
– J'ai fini. Qu'est-ce que je peux faire maintenant?
– On a terminé, il faut juste finir de démonter le lit.
– Et on ramène tout en Râlbanie, c'est ça?
Signe de tête affirmatif, puis j'ajoute :
– Et aujourd'hui tu dors chez moi. On va inaugurer
la Larsmobile.

MAIS MÊME DANS LA POUSSIÈRE MÉNAGÈRE ON TROUVE DU SEL DE MER,
DE LA POUSSIÈRE CHARRIÉE PAR DES ÉRUPTIONS VOLCANIQUES,
ET DU SABLE DE LOINTAINS DÉSERTS. ET MÊME DE LA POUSSIÈRE COSMIQUE.

Le monde entier se dissout. Le temps se dissout. Je me
dissous, à la manière d'un cachet d'aspirine. Je disparais.
De petites bulles remontent à la surface, c'est tout.
Le temps ne signifie plus rien, les minutes ou les années,
les heures, les semaines. Parfois, le soleil brille devant
la fenêtre, parfois non. Une fois, la pluie crépite contre
la vitre, le matin, les oiseaux pépient, et les infirmières,
les médecins, les aides-soignants se relaient au chevet
de maman à intervalles réguliers. Papa et Lars. Ludmilla
et le colonel. Puis je refais surface un instant, il arrive que
quelqu'un prononce des mots, mais même la langue se dissout.
Les mots, en route vers mon oreille, se dissolvent. Je ne
sais plus depuis combien de temps je suis étendue à dormir
et rêver – et ça m'est égal. Des fois, je parle avec maman,
je lui montre les photos des cadeaux de Lars, lui raconte
le périple dans la forêt, lui confie le pouvoir magique des
myrtilles. Même quand elle dort et qu'elle ne m'entend pas.
Ça ne sert à rien de s'arrêter de parler maintenant, juste
maintenant. Alors je lui raconte la vie dans la forêt, la
survie. Les soupes, les potions, la guérison. La chambre est
plongée dans le silence, je ne vois pas les mots. Dissous,

eux aussi. Dehors, quelque chose comme la nuit. Les heures du jour se dissolvent, le monde se dissout. Tout est là, le monde est cette chambre, une bulle qui monte et éclate avant de disparaître. Est-ce que je parle vraiment, et si oui, avec qui? Peut-être je ne fais que penser, penser à ce que j'aimerais transmettre à sa tête, bien possible. La parole se dissout. Les choses perdent leur contour. Il n'est plus rien de solide, plus rien qui soit comme avant. Du coup, je peux aussi parler directement à maman, parler en elle. Lui parler de Miguel, de Lars, de la roulotte. Lui parler du bonheur de Lars. Et bien sûr, elle peut aussi répondre, je la connais, hein, j'entends ses réponses. La vie se dissout, et donc la mort se dissout aussi. La mort se dissout. Nous dissolvons la mort comme un cachet d'aspirine. Je lui raconte les pouvoirs surnaturels de Ludmilla, récite mon enchantement, donne la recette, confie les ingrédients secrets. L'espoir se dissout, notre chez-nous, ma maman. Un univers dans sa totalité. Et à cet instant, maman pense à mon attention : « C'est quand même absurde, au moment même où la vie commence, elle commence aussi à s'arrêter. »
Rigolo. Horriblement. Horrible.

Chapitre 34
ÇA FAIT SENS

Quand je me réveille, il est assis près de moi en train de...
méditer? Yeux clos, position tailleur, dos droit. Vibrisses
vibrantes.

– Grand-père?

Je le vois atterrir – c'est du moins l'effet que ça donne.
Était-il en transe? Suis-je encore en train de rêver?
Les vibrisses se calment, les cahots derrière les paupières
ralentissent pour s'arrêter. Enfin, le colonel Raclette ouvre
les yeux et me considère, tout sourire.

– Te voilà, dit-il.

– Qu'est-ce que tu faisais, à l'instant?

– Entraînement des antennes, affirme-t-il, désignant
sa barbe. Petit tour de vis à l'évolution, chacun y va
de sa contribution...

Grand-père m'embarque avec lui sans autre forme de procès.
Me prie d'enfin lui présenter mon nouveau duché parce qu'il
veut voir le Klara-Museum. Et voilà que je me retrouve

à l'arrière de la trottinette avec grand-père ; on enfile
nos casques, et grand-père émet le grondement que
la trottinette ne fait pas en démarrant. On file
en Râlbanie, puis le colonel monte les huit étages plus
l'échelle, clopin-clopant, et vient se poster au beau milieu
de mon musée en chantier. Je lui montre quelques-unes
des pièces d'exposition, photos et objets.

– C'est chouette, ici, dit-il, s'asseyant par terre dans
un craquement de genoux.

– Tu verras une fois que le lit en bois de maman sera
installé. Ça fera comme une grotte, une grotte de maman!

– Et où trouves-tu les ingrédients pour la potion? interroge-t-il.
J'hésite. Est-il au courant ou tâte-t-il le terrain?
Je me redresse, vais chercher la caisse de mandarines
remplie de sachets plastique, de verres, de livres, de petites
bouteilles et de boîtes, et la pose devant lui.

Il jette un œil à l'intérieur avec des sourires, des « mmm »
et des hochements de tête approbatifs ; son doigt de pic-
vert atterrit sur le bord de la caisse et sautille deux, trois
fois à l'intérieur. Puis, de l'index et du pouce, il gratouille
la moustache de sa lèvre supérieure droite, grattant et tapotant comme s'il y cherchait quelque chose. Quand il a trouvé,
il s'immobilise et écarquille les yeux :

– Je l'ai!

Et il arrache un poil.

– Quoi donc?

– Ma meilleure vibrisse! Tiens, elle est pour toi!
Il me la tend. Je l'empaquette avec précaution. Hoche
la tête pour montrer que j'ai compris, le remercie. Et puis
on ne dit plus rien. Ce qui est très rare avec grand-père. On
reste là, silencieux. C'est chouette, et ça dure une éternité.

Au bout de plusieurs minutes, heures ou années, je finis par rompre le silence en lui demandant s'il peut m'expliquer ce qu'il va se passer, maintenant, avec ma mère. Il réfléchit longuement. Son regard arpente les différents recoins de mon musée, sautant de-ci de-là à la manière d'un singe. Comme si la réponse était cachée là, quelque part. Ce faisant, il ne dit pas un mot, comme s'il devait d'abord inventer les mots dont il a besoin pour m'expliquer. J'attends donc. Enfin, il se lève, sort de la chambre, parcourt un moment la pièce voisine de son pas boitillant. Puis il revient, une latte en bois à la main, et se rassoit près de moi dans un nouveau craquement de genoux. Il désigne un scarabée noir qui traverse le plancher devant nos yeux, et paf! lui plante la latte en travers du chemin. Le scarabée crapahute vers la latte, s'arrête, va buter contre, puis finit par la longer sur la gauche, se tenant suffisamment près pour percevoir la première fente venue.

– Regarde-le, fait grand-père, désignant le scarabée. Il pourrait sans problème l'escalader, cette latte de bois, mais il ne le fait pas parce qu'il ne pige pas, parce qu'il ne peut pas penser un « par-dessus ». Ses sens n'en sont pas capables, ils ne sont conçus que pour le deux-dimensionnel. Du coup, il fait le tour, même s'il doit parcourir un kilomètre.

– Quel est le rapport avec maman?

Le colonel se redresse. Le scarabée est parvenu de l'autre côté de la latte. Problème résolu.

– Le rapport, c'est qu'on est tout aussi bornés, même si on l'est à un niveau supérieur. Tu comprends?

Ses yeux étincellent. Sa barbe n'est-elle pas en train de crépiter?

– Peut-être que l'homme, dans quelques centaines d'années, sera en mesure de comprendre des dimensions supplémentaires, au moins une, et qu'il repensera à nous autres, les hommes-scarabées, en nochant avec mépris...

Il baisse la tête comme on referme un livre tout juste achevé.

– Parfois, ajoute-t-il, je me dis que ce ne devrait plus être très long.

– Je ne comprends toujours pas, je dis. Quel rapport avec maman?!

– Ce n'est pas de nous qu'il s'agit. Pas de toi, de moi, de papa ou maman. Nous, nous ne sommes que des corps faisant l'expérience de la vie en un point merveilleux de l'univers. Et en même temps, nous sommes des animaux particulièrement dramatiques, parce que nous avons commencé, d'une manière presque touchante, à réfléchir aux choses et à nous inventer des histoires. Nous sommes des animaux qui roulent des yeux, versent des larmes, frappent des mains au-dessus de la tête et organisent des rencontres de gymnastique artistique.

– Je ne te suis pas!

L'ambiance était tellement belle, qu'est-ce que je n'ai pas posé là, comme question!

– Des animaux assez tristes, à vrai dire, sans doute les seuls capables de pleurer.

Il brandit son doigt bien au-dessus de sa tête et le jette en avant comme un fouet.

– Des animaux offensés! Des animaux que l'idée de mourir rend malades! Des animaux qui en savent assez pour souffrir!

Puis il tourne la tête et se penche vers moi, chuchotant dans mon oreille :

– Ce n'est qu'avec le savoir-vivre qu'on peut réparer ça, à mon avis!

– Grand-père!

– De la même manière que nous regardons l'homme de Néandertal avec condescendance, je crois que dans des milliers d'années, les gens nous considéreront de haut en se disant : « Ces humains! Ils se mettaient des tuyaux dans le cerveau, y fourraient des caméras et prenaient des photos pour essayer d'y comprendre quelque chose. Ils se nourrissaient essentiellement des fruits des plantes et de tissus vivants. Ils rêvaient déjà. Ils brûlaient le pétrole et le charbon et croyaient en une sorte de bijou qu'ils appelaient fric! » Mais peut-être qu'un jour, l'homme ne sera plus malheureux parce qu'il aura compris beaucoup plus de choses sur la vie, parce que son cerveau pourra appréhender plus de dimensions que les quatre ridicules qui rentrent actuellement dans notre

PARENTHÈSE LEXICALE :

SAVOIR-VIVRE!

– C'EST LE CRI DE GUERRE DES RAPIDES À LA COMPRENETTE. IL SIGNIFIE QUE L'ON SAIT COMMENT BIEN VIVRE, COMMENT ÇA FONCTIONNE. SI LA VIE ÉTAIT DU FUNAMBULISME, ALORS LE SAVOIR-VIVRE EN SERAIT L'ÉQUILIBRE. ET LE FAIT DE SAVOIR QU'ON VA SÛREMENT Y ARRIVER.

(dixit le colonel Raclette, qui a fait tatouer ces mots sur son ventre) tête. Je crois en effet qu'on est les maillons d'une chaîne infinie, les éléments d'un tout, d'un projet. Nos corps ne sont que les réceptacles portant le fond du problème pour un temps donné. Comme un bocal rempli de rhum et de fruits.

Il me considère, haletant, m'enlace de son bras et ronronne :

– Les fruits marinés dans du rhum, miam miam!

– Attends... Comment ça? Tu veux dire qu'on ne meurt pas parce qu'on est les éléments d'un projet?

– Je crois que notre vie constitue une certaine forme d'énergie. Et que cette énergie, loin de disparaître, ne fait que changer de forme. L'énergie vitale, sur ce minuscule appendice de l'univers, plante ses doigts tantôt dans telle poupée, tantôt dans telle autre. Des fois c'est une amibe, des fois un brachiosaure, un moustique, un homme ou un mulet. En tout cas, il y a une sorte d'énergie universelle, une circulation d'énergie. On part pour revenir sous telle ou telle forme, un seul et même être. C'est juste que pour le moment, on ne le comprend pas, pas sous cet angle.

Il désigne la latte posée sur le sol devant nous.

Ah d'accord.

Oui, OK.

Ça fait sens. Hm.

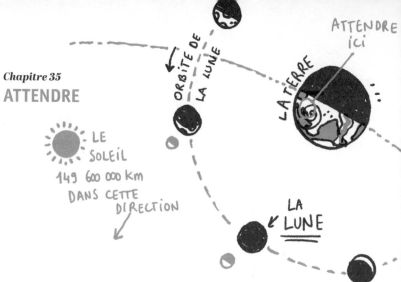

Chapitre 35

ATTENDRE

Il fait nuit. Accompagnée de Lars, j'avance dans
les couloirs à pas de loup.

L'unité des soins intensifs s'ouvre devant nous, énorme
et étrange animal endormi. Au centre, une lumière crue ;
autour, des pièces plongées dans l'obscurité, un tressaillement minimal. De toutes parts, quelque chose qui bipe, qui
clignote, qui travaille ; les infirmières et les aides-soignants
glissent sans bruit d'un point à un autre, comme s'ils étaient
invisibles, et des fois je me demande si nous-mêmes sommes
vraiment là.

Maman ne se réveille plus. Hier, elle s'est manifestée
une fois, très brièvement, pas plus qu'il n'en faut à un thé
noir pour infuser, sans bruit, seulement du regard.

La station est une capsule, une bulle qui remonte
à la surface pour se dissoudre entièrement.

On s'assoit sous la fenêtre, contre le mur, près du lit
de maman. Ma tête repose sur les jambes de Lars, sa main
sur mon oreille. Ça me déconnecte des tut! et des clic!
de l'hôpital. Sa main répand un bruissement chaud.

On se contente d'attendre. Présents. Le regard rivé vers
les machines qui tiennent maman en vie.

– À ton anniversaire, tu as...

Lars me regarde puis détourne la tête.

– Tu as essayé... d'ensorceler Basil? je bafouille.

Lars hausse les épaules.

– Oui.

Je réfléchis un moment. Oui?

– Ça veut dire... que tu voulais qu'il tombe amoureux de toi?

– Peut-être.

– Comment ça, peut-être? T'es amoureux de lui?

– Sais pas.

– Comment ça, tu ne sais pas?

– Sais pas ce que ça fait, d'être amoureux. Je sais juste que
je veux que Basil... m'aime bien. Vraiment. Pour toujours.
Et qu'il ne change jamais d'avis.

Il me sonde des yeux, ouvre une nouvelle fois la bouche,
hésite, puis dit enfin :

– Comme toi et moi. Mais différemment.

– OK.

Après le départ de Lars, j'enfile les chaussettes de maman
et saisis la ludmillicilline. Ces chaussettes en laine et le sol
plastifié de l'hôpital, c'est comme l'huile et le vinaigre :
ils n'adhèrent pas l'un à l'autre. Du coup, on peut glisser
à la perfection. Des chaussettes qui éliminent la pesanteur,
me dis-je en commençant à flotter, tenant toujours la ludmillicilline à la main. Une unique goutte tombe sur la pointe
de ma langue, et aussitôt j'en sens l'effet. Je suis électrisée
des pieds à la tête. Je ferme les yeux, rêve avec plus
d'intensité, flotte avec ces chaussettes, je m'imagine
et continue d'imaginer, j'imagine...

Chapitre 36
... COMMENT CE SERAIT?
(ABRACADABRA)

Un jour, il y a cent mille ans environ, l'homme inventa
le langage et commença à raconter des histoires, à lui
et aux autres. Grâce à ce langage, il pouvait évoquer
des choses qui n'existaient pas. Avant, cette planète
ne connaissait que les choses ou les êtres qui existaient
vraiment : les pierres, les plantes, l'eau, les scarabées,
la terre.
Mais dans nos histoires, on peut inventer des choses et faire
comme si elles existaient vraiment, et comme si on croyait
à leur existence. Les lois, par exemple, constituent
des histoires auxquelles tout le monde croit. Il en est
de même avec le code de la route, les bonnes manières,
la mode, la politique. On habite dans des maisons parce
qu'on peut se raconter comment les construire. Que l'un
d'entre nous soit roi, président, ou juste super riche n'est
qu'une invention, une histoire à laquelle on adhère. Dès lors,
on est des magiciens! On élabore des idées, on joue à
des jeux, on forge des mensonges, on crée des choses juste
en prononçant certains mots. Une seule chose est nécessaire : que ces mots soient les bons. Et puis il faut y croire
– et y faire croire. Ainsi, on peut tout imaginer : des pays,
des écoles, de l'argent, des histoires d'amour. Abracadabra.
Magie. Je crois, donc ça peut être.
Bref, c'est comme ça que ça marche :

LUDMILLICILLINE **fois** JUS DE MYRTILLES CHAUD ⊗ **fois** Mille-pertuis & EAU SOLAIRE

PARENTHÈSE LEXICALE :

EAU SOLAIRE (L') LE PLUS VIEUX REMÈDE DU MONDE POUR LE SYSTÈME NERVEUX. POSE UN VERRE D'EAU PENDANT DEUX HEURES SOUS LE SOLEIL DU MATIN (QUAND IL EST LE PLUS FORT).

LA SUITE PAGE SUIVANTE →

JE VOIS MILLA DEVANT MOI. JE LA VOIS CUISINER.

MÉLANGER.

FAIRE DE LA

MAGIE.

LARS EST LÀ, COMME POUR TÉMOIGNER. JE DISTINGUE SON VISAGE DERRIÈRE LA VAPEUR MONTANTE.

Donc, c'est vrai.

JE SENS QUE LUDMILLA M'ARRACHE UN CHEVEU...

UNE BOUCLE TACTILE

Ça pique juste un peu, sur le front.

ELLE SOURIT ET LAISSE TOMBER le CHEVEU dans la LUDMILLI-CILLINE

ELLE MÉLANGE EN FREDONNANT, ET JE VOIS LE TOURBILLON QUI MÈNE DROIT À L'OBSCURITÉ, PRESQUE JUSQU'AUX TRÉFONDS.

JE VOIS MON CHEVEU DANSER.

PUIS LUDMILLA NOUS ENFONCE UNE CHÂTAIGNE DANS LA MAIN, À LARS ET À MOI...

« ET VOUS TOUS, QUI PARTICIPEZ À CE TOUR DE MAGIE, VOUS DEVEZ CONSERVER CETTE CHÂTAIGNE DANS LE CREUX DE VOTRE MAIN, ET UNE FOIS PAR AN, VOUS LAVER LES MAINS AVEC DE LA PISSE DE TAUREAU ; SINON, LA MAGIE SERA ROMPUE ET SON EFFICACITÉ UNIQUE SE RENVERSERA EN SON CONTRAIRE. »

Et quand nous sommes revenus, Lars, Ludmilla et moi, avec chacun une châtaigne dans la poche de pantalon, nous avons trouvé ma mère, assise sur le rebord du lit, qui nous regardait en souriant. J'allais me précipiter sur elle et lui sauter au cou, ne pouvant croire à mon bonheur (la magie avait-elle donc vraiment opéré?), quand elle a levé les bras, ces bras qu'elle n'avait plus utilisés depuis si longtemps, comme pour me dire : Attends! Je m'arrêtai dans mon élan. Alors, ma mère se leva lentement. Se leva du lit, tremblante, de sa propre force, comme la dernière fois, un an aupara-vant. Elle se retrouva debout. Sur un sol mouvant, mais campée sur ses deux jambes. Puis elle se rassit et déclara avoir faim. Il y eut alors un petit déjeuner comme avant, interminable, avec un choix de mets exagérément énorme ; et elle mangea tant que je crus qu'elle allait tout engouffrer. Elle ingurgitait, remettait une pelletée dans la bouche, on aurait dit qu'elle alimentait son four intérieur, qu'elle rattra-pait tout ce qu'elle n'avait pas pu manger ces derniers mois. Elle avalait la nourriture avec des rires, buvant, utilisant les doigts, mastiquant bruyamment, se pourléchant les babines. L'après-midi, nous fîmes une petite promenade. Elle parvint, lentement certes, mais sans aide, à atteindre le deuxième banc du parc. Les médecins en étaient bouche bée. Ils nochaient, incrédules, n'y comprenaient plus rien ; une chose pareille était rarissime, et le mot « miracle » faisait le tour des mains qui cachaient les bouches. Maman passa des soins intensifs à une chambre normale, on voulait la garder au moins une nuit de plus en observation. Quand je me réveillai le lendemain matin, maman avait déjà fait ses bagages. Elle buvait son café fumant, debout devant la fenêtre ouverte, regardant au-dehors et faisant de légères génuflexions.

– Bonjour! lança-t-elle gaiment.

– Bonjour.

– On y va? On rentre à la maison?

J'approuvai du chef.

– Je veux découvrir ton grenier, dit-elle. Et enfin prendre Théo et Ron dans mes bras. Et une douche! Toute seule! Tu imagines tout ce qu'on va pouvoir faire, à présent?

– Oui.

Et maman traversa la chambre au pas d'une enfant de quatre ans : à peu près sûre d'elle, un peu empotée. Elle se retourna et se mit à rire.

– Et moi qui craignais que ce soit fini – hé hé!

Oui. Je crois aux myrtilles.

Nous retournâmes à Château-Plastique, et maman passa une bonne heure sous la douche. Au début, je me contentai de la regarder, puis je finis par la rejoindre. Debout dans la vapeur montante, nous pleurions de joie. Peu après, nous rangeâmes tout le matériel pour handicapé, les béquilles,

les couches, Ralf et tout le bazar. Et puis un message
de mon père arriva, un court SMS : « Lucy et moi, nous
nous sommes séparés. Elle vient de partir. Une chambre
est libre… »

Oui, je crois aux miracles.

Je crois aux miracles et aux histoires.

Tout ce qu'on est, on l'est seulement dans les histoires
qu'on se raconte. Les seuls animaux à se raconter
des histoires sur eux-mêmes, c'est nous.

À tâtons, je cherche la châtaigne dans la poche gauche
de ma veste.

Et quand une histoire se termine-t-elle, alors? Quand je le veux.
Par exemple maintenant. Pourquoi pas. Tout finirait bien.

HAPPY END (le)

FIN HEUREUSE D'UNE HISTOIRE, EN PARTICULIER
SUCCÈS DU PERSONNAGE PRINCIPAL.
EXEMPLES D'HAPPY ENDS TYPIQUES, OÙ
LE HÉROS :
A) CONQUIERT LE VÉRITABLE AMOUR
B) TROUVE LE TRÉSOR ARDEMMENT CONVOITÉ
C) ÉCARTE AU DERNIER MOMENT UN ÉNORME DANGER
D) PERMET LA MIRACULEUSE GUÉRISON
DE SA MÈRE.

En vrai, toutes les histoires se terminent pareil, de toute
façon. C'est-à-dire par la mort. Parce que tout le monde finit
par mourir. Ce qu'il faut, simplement, c'est décider pour soi
quand une histoire se termine. On a bien le droit d'abandon-
ner en cours de route. Le *happy end*, ça fonctionne comme
ça : il suffit de ne pas lire jusqu'au bout. De refermer
le livre. D'abattre le rideau, *bye-bye*. Il s'agit de trouver
le bon moment, c'est tout.
Salut, donc, et –

HAPPY
END.

PAS DE BOUM.
PAS DE PÉTARD.

SEULEMENT LA LENTE
DISSIPATION DES CHOSES
DANS UN ÉTIREMENT ÉTERNEL.

UN JOUR, LES ÉTOILES VIENDRONT À MANQUER D'ÉNERGIE.

ELLES SE CONSUMERONT EN SILENCE, ET LE CIEL DEVIENDRA TRÈS FRO

TOUT
SE BRISE.

MÊME
L'UNIVERS.

UN HURLEMENT À LA MORT.

TOUJOURS PLUS FAIBLES, ET QUELQUES PARTICULES ÉLÉMENTAIRES, UN ÉTERNEL GÉMISSEMENT DE PARTICULES,

TRÈS SOMBRE. À LA FIN, IL NE RESTERA PLUS RIEN QUE DES PHOTONS,

Incroyable. Je perçois l'énergie qu'elle me prodigue.
M'étirant sur le tapis qui se trouvait sous la table
de la cuisine à Château-Plastique à en atteindre les quatre
coins, je sens, les yeux clos, les mains chaudes de Ludmilla
sur mes tempes.

Souvenir (871)
CARTON : CHÂTEAU-PLASTIQUE
DOSSIER : CUISINE

le tapis dégoûtant

Agenouillée au-dessus de ma tête, elle laisse doucement
reposer ses lèvres brûlantes sur mon front. Lenny et Roy
dansent sur mon ventre comme des fous, reliés eux aussi
au circuit électrique Ludmilla Lewandowski.
Milla me recharge.
Elle m'a aussi rapporté un sac avec quelques affaires :
le CD de l'excursion de l'année dernière, les boucles d'oreilles
qu'elle portait alors, son T-shirt préféré à l'effigie d'Iron
Maiden. La marmite dans laquelle on a cuisiné, le flacon,
la pipette. J'ai ses recettes. Pour mon musée. Pour moi,
demain.
En bas, dans la cuisine, Greg ronge des os, tranquillement
étendu près du fourneau où Lars touille la soupe.
Grincement de violoncelle dramatique. Ludmilla porte un sac
à dos noir de l'armée qui émet un cliquetis à chacun
de ses pas. Elle passe son bras autour de l'épaule de Lars,
plonge sa tête dans la vapeur.

– Soupe de bananes épicées, déclare-t-elle. Manque un peu de citron, je le sens.

Sa bouche se tord en une petite grimace de prof de danse.
Puis elle s´écrie :

– Allez, va!

Elle prend Lars dans ses bras et le serre fort, à la Ludmilla.
Quant à moi, je suis assise sur le canapé, rechargée, grésillante d'électricité. Lenny et Roy arpentent le plancher de la cuisine au pas de course, telles des souris mécaniques qu'on aurait un peu trop remontées. Ludmilla compte à voix basse sur ses doigts.

– Ça ne fait même pas neuf semaines, conclut-elle, considérant sa main d'un air incrédule. Est-ce possible?

– Cinquante-neuf jours et demi! confirme Lars.

– Et c'est de nouveau les vacances? C'est dingue.

Papa entre dans la cuisine, en sueur, son archet à la main.
Il n'est vêtu que d'un pantalon de jogging. Ses yeux sont
tout rouges – il a pleuré, ou il s'est saupoudré des grains
de poivre sur les yeux?
– Juri! s'exclame Ludmilla. C'est bien que tu sois là.
Elle enlace mon père, une étreinte brève et intense,
et lance : « Au revoir! » Et là, mon père fond en larmes.
Je prends sur moi. Lars prend sur lui. Le zèbre, les tortues
et le chien ne font pas de drame. Mais mon père, tranquille,
joue des heures durant des mélodies à fendre le cœur, puis
se ramène dans la cuisine à moitié nu et se met à chialer.
– Dé-so-lé, sanglote-t-il.
– Hé! fait Ludmilla, en le reprenant dans ses bras.
Longuement et doucement cette fois, comme on le fait avec
un petit garçon. Papa laisse sa tête s'effondrer sur l'épaule
de Ludmilla, ses genoux sont flageolants.
– Tupeuxtoujours..., émet-il dans un grognement.
Ludmilla l'étreint fermement, à la Ludmilla, et attend.
Au bout d'un moment, mon père retrouve son calme
et se redresse. Il s'excuse à nouveau, essuie son visage.
– Tu peux emménager chez nous... dit-il avec un petit sourire.
Ludmilla fait un signe de tête.
– OK, je vais enfiler quelque chose, dit papa.
Il quitte la pièce. On le suit du regard. Puis Ludmilla
se tourne vers moi, son cerveau rembobine la cassette
et reprend où on en était restés avant le monologue
shakespearien de mon père.
– Ce sera déjà les vacances, dit-elle, et vous viendrez me
rendre visite! Il vous suffit d'aller à Katowice, je viendrai
vous chercher.
Lars renchérit :

– J'ai déjà regardé. On peut prendre un train jusqu'à Berlin, et
de là il y a un bus pour Katowice. Ça ne prend que dix heures.
– Alors, c'est parfait! dit Ludmilla.

Elle marque une longue pause, hoche la tête, lèvres pressées
l'une contre l'autre.

– OK, conclut-elle avant d'effectuer une petite pirouette
ludmillienne.

Si je m'écoutais, je me lèverais d'un bond et me jetterais
à son cou, mais je ne le fais pas, parce que si je bougeais,
même de manière minimale, le chagrin déborderait. Je suis
remplie de larmes à ras bord. Avec une lenteur extrême,
je lève la main droite, et forme avec mes lèvres un truc
qui ressemble vaguement à « *ciao!* ».

Elle s'en va.

Le silence qui s'installe après le dernier bruit qu'elle fait en partant est un silence différent. Plus grand? Plus silencieux encore?
Au bout d'un moment, Lars reprend son touillage.

Greg son rongement d'os.

Le violoncelle son grincement.

Moi, je reste assise.

Lenny et Roy sont la preuve que le temps passe. Ils
se déplacent du fauteuil vers la porte du balcon. Au bout
d'un moment, je parviens à me relever et à dresser la table.
Le flamant rose va revenir d'un instant à l'autre avec ses petits.
À grand-peine, Lars dépose la lourde marmite fumante
sur la vieille table en bois poisseuse.

Chapitre 39

COMMENT C'EST

Ma chère Lara,

Je sais que ma vie est bientôt finie, et tu le sais aussi. S'il n'y avait pas tous ces appareils, l'hôpital, les infirmières, les médecins et surtout toi, ça ferait longtemps que je ne serais plus là. Je suis de plus en plus faible, de plus en plus fatiguée, de moins en moins moi.

J'ai du mal à réfléchir, à respirer, mon cœur n'en peut plus. Tout me fait mal, surtout l'adieu. C'est toi qui sais le mieux à quel point il m'en coûte.

Ce n'est plus ma vie. Je ne peux pas, je ne veux pas ça. J'ignore totalement ce qui va venir après. Mais je crois **(à partir de là, c'est moi, Juri, qui ai écrit ce que Klara a dicté) que là où je serai, ce sera doux et léger. Je pourrai à nouveau me mouvoir librement. Et je t'aurai auprès de moi, je te saurai là. Tu as toujours été, tu es, et tu seras toujours le plus beau cadeau que la vie m'a fait.**

Ma petite fille, ma râleuse adorée, tu as dû apprendre ces derniers temps à contenir ta colère. Je sais que c'était nécessaire. Mais au bout d'un moment, ça suffit. Que ta mère soit mourante, c'est bel et bien Armageddon, tout de même. Je voudrais que le temps venu, tu laisses sortir ton chagrin. Râle tout ton soûl. Ce n'est pas bon de le retenir. Ai-je droit à un dernier vœu? Alors, voilà ce que je souhaite : prends soin de tes sentiments, Lara. Tu en as de tellement magnifiques.

Je ne connais personne qui sache sentir aussi bien que toi.
Tu es merveilleuse de curiosité. Tu sais être tour à tour si sérieuse
et si fofolle. Si drôle, magnifiquement. Tu es la pire des donneuses
de leçons et la plus intelligente des petites filles que je connaisse.
J'adore ta colère, ton sens de la justice, la générosité dont tu fais
si souvent preuve.
Tes amis, tes grottes, ton petit zoo. Je t'aime tellement, je veux
absolument que tu t'en souviennes toujours, même quand
tu ne pourras plus me voir, m'entendre, me sentir et me toucher.

Je suis sûre que tu vas vivre, parce que tu sais si bien le faire,
tu es tellement bien équipée pour ça. Et je te souhaite d'avoir
un jour auprès de toi un enfant aussi merveilleux que toi.
Au moins un.

Je pars bien trop tôt, ma Larâlette, je le sais bien. Mais mon chemin
ici est terminé, on ne peut rien y faire. Je te souhaite d'être capable
de me lâcher. Je ne serai qu'ailleurs.

Maman

Table des matières

L'auteur

FINN-OLE HEINRICH est né en 1982 et est allé à l'école dans la petite ville de Cuxhaven, au bord de la mer du Nord, en Allemagne. Il habite aujourd'hui à Hambourg avec la plupart des gens qu'il aime. Finn a fait des études pour apprendre à faire des films, et son métier consiste à imaginer des histoires. Il voyage beaucoup pour montrer ses films et lire ses livres aux gens. C'est au hasard de l'un de ces voyages qu'il a rencontré Rán – et il s'en réjouit chaque jour. Finn a cinq frères et sœurs, et en secret, il croit que grâce à de savantes techniques de respiration, il peut aiguiller les résultats de son équipe de foot préférée. Il a un pli bizarre à l'oreille et autant de chapeaux qu'un top-model a de paires de chaussures. Il adore cuisiner et manger pendant des heures autour d'une grande table, faire du canoë sous le soleil, et il se met en colère quand il se brosse les dents et que le dentifrice coule sur sa main.
www.finnoleheinrich.de

L'illustratrice

RÁN FLYGENRING est née à Oslo (Norvège) en 1987 et a grandi en Islande. Dans ce pays, les gens ne s'appellent que par leur prénom ; même l'annuaire est ordonné par prénoms. Soit dit en passant, Rán se prononce à peu près de la manière suivante : « Raoun », en roulant les r. Rán adore les animaux et, enfant, elle en avait un sac plein - dont deux tortues. Rán est née un mois trop tôt et ressemblait à l'un de ces chiens qui ont beaucoup trop de peau pour leur petit corps. Aujourd'hui encore, Rán est très ponctuelle ; mais la proportion entre sa peau et son corps, elle, est entre temps devenue tout à fait normale.

Rán chausse du 39, son nez mesure 5 cm, elle a 6 vis métalliques et une cicatrice de 30 cm dans le dos. Elle a deux jambes, un frère et une sœur, et a voyagé dans 41 pays. Où qu'elle soit, au Japon, en Allemagne, en Norvège, au Zimbabwe ou justement en Islande, elle dessine, peint, crée des illustrations - pour les enfants et pour les adultes, pour des livres ou des magazines, pour des cartes postales ou des posters, sur des murs entiers ou encore sur internet : www.ranflygenring.com

La traductrice

ISABELLE ENDERLEIN est lectrice et traductrice de l'allemand. Elle vit à Berlin.

MERCI Jan Oberländer, qui depuis dix ans est le premier
à lire mes textes et retourne chaque mot dans ma tête :
ping-pong avec King-Kong. / Sigríður Þóra Flygenring, qui
sait distinguer le drôle du ridicule comme personne. / Jon
NordSteien qui a prêté son écriture à Juri. / Alina Maulfred
Poit, qui a été très patiente avec moi pour toutes les ques-
tions relatives à la râlitude. / Beate Haas-Heinrich, parce
que tu es comme une râlcôve pour moi. / Jette Heinrich,
colocataire de râlcôve, pour ton grand cerveau. Et davantage
encore pour ton grand cœur. / Et Rudolf Zimmermann /
Natalie Tornai, qui a toujours été là pour Râla, avec beaucoup de discernement et d'esprit de synthèse. / Les éditions
Hanser pour leur courage et leur persévérence – en particulier : Dorit Engelhardt, Ulrich Störiko-Blume et Andrea Wolf.
/ La Hörcompagny pour sa miraculeuse sensibilité acous-
tique. / Pauline Selbig, Daniel Beskos, Peter Reichenbach,
Stefanie Ericke-Keidtel, Andrea Herzog, Carla Felgentreff,
Meike von Flottwell.

La traduction de cet ouvrage a été subventionnée
par le Goethe-Institut, financé par le ministère
des Affaires étrangères allemand.

Titre original :
Die erstaunlichen Abenteuer der Maulina Schmitt,
Ende des Universums
© Carl Hanser Verlag, München 2014
© Éditions Thierry Magnier, 2016
ISBN 978-2-36474-912-2
Éditrice : Soazig Le Bail, assistée de Charline Vanderpoorte
Conception graphique : Florie Briand
Loi n° 49-956 du 16 juillet 1949 sur les publications destinées à la jeunesse

Cet ouvrage a été achevé d'imprimer la tête dans les étoiles
pour le compte des éditions Thierry Magnier
par l'imprimerie Sepec à Péronnas en octobre 2016.
Dépôt légal : novembre 2016
Imprimé en France

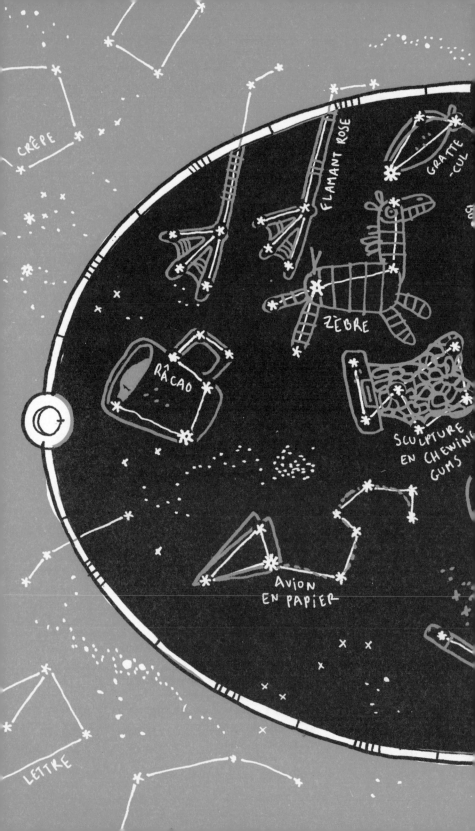